D1194805

# Souvenirs d'un enfant de choeur

Jean-Pierre Boucher

# Souvenirs d'un enfant de choeur

LIBRE
EXPRESSION

Illustration de la couverture:
Louis Hébert pour P.I.G.

Maquette de la couverture:
France Lafond

Dépôt légal:
3ᵉ trimestre 1981

ISBN 2-89111-081-1

# Table des matières

E ntre souvenir et fiction, la frontière mal délimitée se franchit facilement. Je ne m'en suis pas privé. Mais on n'ouvre pas impunément l'armoire aux souvenirs. On y cherche sa vérité passée, on y trouve celle du moment présent qui n'est qu'à peine modifiée, celle de l'enfance où les jeux se font irrémédiablement. On se tourne vers celui que l'on a été avec l'assurance de pouvoir le regarder d'un œil étranger, mais plus l'opération réussit plus cet étranger se met à ressembler à celui que l'on pensait être devenu au fil des ans, à mesure que l'on s'imaginait s'éloigner du modèle original. La partie est jouée depuis longtemps mais nous ne l'apprenons qu'avec des années de retard pendant lesquelles des habitudes se sont nouées, des comportements enracinés, des positions prises, comme l'on dit que la glace est prise. On découvre trop tard que l'on est celui que l'on a été fait et qu'il n'est plus en notre pouvoir, si tant est qu'il l'ait jamais été, de changer quoi que ce soit à la donne de la vie. Ne nous reste désormais que le temps d'accepter l'être que nous sommes.

# Le balcon
# de l'enfance

C'était un grand balcon. Du moins m'apparaissait-il ainsi enfant, et m'apparaît-il toujours à travers la lunette de ma mémoire. Ce devait être en réalité un balcon comme les autres, mais dans ma première enfance d'avant l'école il occupe toute la place à lui seul. De ma naissance à l'âge de sept ans nous habitions un quatre pièces rue Beaubien coin de Lanaudière. Presque tous mes souvenirs sont extérieurs, ma mémoire mystérieusement muette sur l'intérieur de ce logement. Je serais bien en mal de décrire la chambre de ma grand-mère à l'avant, celle de mes parents dans laquelle j'ai pourtant couché pendant quelques années, le salon-cuisine où sera placé plus tard mon lit pliant, fermé le jour, ouvert le soir. Ne remontent à la surface que des débris épars: une fournaise à l'huile, le tissu rouge et vert du mobilier, une glacière dont il fallait vider l'eau lorsque la glace était fondue, les fenêtres au bois brun clair, et surtout une lampe-projecteur en plastique vert, de forme conique, fixée au mur et néanmoins mobile grâce à un treillis métallique permettant de l'approcher ou de la repousser, ce qui m'impressionnait d'autant plus qu'elle surplombait ma tête lorsque j'étais couché, mon père l'ayant installée à cet endroit où, le jour, campait un fauteuil que chaque nuit mon lit en s'ouvrant refoulait vers la cuisine. Nulle trace dans ce décor figé des êtres avec qui je vivais chaque heure de mes journées, en sorte que ces premières années ne subsistent que dans le souvenir nébuleux de ces quelques objets dérisoires. Seul le balcon demeure encore debout comme une façade d'édifice épargnée par un bombardement.

C'était un grand balcon, ceint d'une balustrade en bois massive, flanqué de deux gros piliers aux coins extérieurs supportant le balcon du troisième. De ce poste d'observation j'apercevais le théâtre de la rue. Encore fallait-il que je passe la tête entre les balustres pour voir quelque chose, trop petit pour regarder par-dessus la tablette. Suspendu au-dessus de l'intersection, notre balcon offrait une vue en enfilade des deux rues. Des éléments de ce paysage surgissent intacts du temps aboli à côté de trous noirs comme si, enfant, s'était déjà opérée en moi une sélection. Dans la maison voisine vivait une famille dont je me souviens à peine du nom et pas du tout du visage de ses occupants. J'ai en revanche gardé une image limpide de la maisonnette à pignon, verte et blanche, dressée à l'oblique au milieu du parterre et dont la vitrine servait de montre à une entreprise d'huile à chauffage. Au-delà de cette maisonnette, rien avant, de l'autre côté de la rue Garnier, l'enseigne de *Paul's cleaners*, lettres noires sur fond orangé, érigée au-dessus de bâtisses aux fenêtres grillagées d'où s'échappait, poussé par de puissants ventilateurs au bruit incessant, un air chaud, humide, plein de charpies. Du côté sud de la rue Beaubien dont je devrais pourtant me souvenir avec précision, rien ne s'interposant dans mon champ de vision, seule, face à notre maison, la résidence funéraire Duquette doit à un élément architectural de ne s'être pas écroulée comme les constructions voisines. M'avait en effet captivé la mise en place d'une marquise en métal à l'aide d'une énorme grue arc-boutée au milieu de la rue Beaubien et manœuvrant avec agilité entre les fils de l'électricité et des trolleybus. En diagonale, le restaurant Comte attire toujours mon attention par son enseigne rectangulaire comme, au fond de ce que je découvrais de la rue de Lanaudière, brille encore celle des breuvages *Denis* dont l'usine où se dirigeaient et d'où sortaient tout le jour des camions de livraison chargés de caisses de bouteilles marquera pour moi pendant quelques années l'extrême limite d'un univers dont mon balcon constituait le centre.

La rue Beaubien était à l'époque l'une des rares artères de Montréal desservies par des trolleybus, particularité qui lui conférait un cachet qu'autrement elle aurait été bien en peine de revendiquer, rue anonyme et laide comme tant d'autres. Depuis qu'elle les a perdus pour la raison même qu'elle les avait acquis, le progrès qu'ils avaient représenté et qu'ils ne représentaient plus, elle a d'ailleurs retrouvé un anonymat mérité. De charpente costaude, ces trolleybus étaient néanmoins allégés par les angles arrondis de leur carrosserie et par leur couleur crème coupée par une bande horizontale rouge vin courant le long de leur carlingue, couleurs lumineuses en comparaison du gris-brun-vert des tramways et autobus des autres lignes. Cette audace avait sans doute frappé le propriétaire de notre maison car, de toutes les combinaisons possibles, il avait retenu celle-là même, crème et rouge vin, pour égayer la devanture de sa propriété et signaler ainsi qu'elle participait à la modernité des trolleybus. De ma loge j'avais une vue en plongée sur les caténaires et, lorsque les trolleybus surgissaient, étonnamment silencieux grâce à leur moteur électrique, je pouvais tout à loisir étudier leur fonctionnement, un arrêt posté devant notre maison. Le mécanisme reliant les deux trolleys aux fils aériens me fascinait. Tendus bien parallèles, au centre de la rue, ceux-ci indiquaient la route à suivre au conducteur. Lorsqu'il roulait au centre de la chaussée, le trolleybus ne se distinguait des tramways que par sa forme, ses couleurs et ses pneus. Mais, et là commençait d'opérer la magie, il n'était pas prisonnier d'une aire délimitée et, affranchi de la prison des rails, il allait et venait à sa guise, contournant un camion, doublant une voiture en stationnement, se rapprochant du trottoir pour y cueillir ou y déverser des voyageurs, puis s'en éloignant comme d'un quai vers le large. Dans ce savant ballet il lui fallait cependant garder en permanence le contact avec les fils sous peine d'être foudroyé par une paralysie aussi soudaine qu'humiliante. Jusqu'où pouvait-il s'aventurer d'un côté ou de l'autre de la parallèle des fils aériens, jusqu'où aller trop loin impunément? Du haut de mon balcon j'assistais quotidiennement à d'incroyables coups d'audace. Lorsque le trolleybus s'écartait de la ligne médiane, ses deux trolleys fixés au centre de la toiture formaient graduellement un angle de plus en plus ouvert avec les fils aériens, mais il existait un point au-delà duquel le mécanisme giratoire, la longueur des trolleys et celle des câbles qui, rattachés à deux poulies encapuchonnées à l'arrière, s'enroulaient et se déroulaient au gré des déplacements du bus et des dénivellations de la chaussée, un point au-delà duquel donc il n'était pas possible d'aller mais qui n'était indiqué nulle part et que, pour cette raison, par ignorance ou par témérité, certains conducteurs franchissaient, ce qui les obligeait alors, sous les regards impatients des passagers et ceux moqueurs des passants, à descendre de leur véhicule et, en jouant des cordes et des poulies, à replacer sur le fil le trolley affaissé comme une aile brisée. Ce jeu de cordages m'était un perpétuel ravissement magnifié encore par l'exotisme de ces vaisseaux au long cours. D'où venaient-ils? De Rosemont, pays mystérieux au-delà des rues Papineau et de Lorimier et que je ne connaissais que pour en avoir entendu prononcer le nom par mes parents. Où allaient-ils? Plus loin que le boulevard Saint-Laurent, en des contrées dont le nom même m'était inconnu. Ainsi, comme d'autres enfants devant la mer, je tissais de mon balcon comme du centre d'une toile des réseaux qui m'amenaient aux confins du monde.

Un tout autre équipage, celui du balai cylindrique tiré par un cheval, doit cependant à la rareté de sa visite et à l'extraordinaire de sa vision d'avoir survécu. Le cheval était encore utilisé par le laitier, le boulanger, le marchand de glace, le regrattier. Chaque jour la voiture du boulanger s'arrêtait devant la maison. Elle semblait déjà d'un autre âge, toute en bois et montée sur de hautes roues de bois également, la toiture légèrement arrondie sur les côtés et coiffant comme une visière la banquette où trônait le boulanger. Quand celui-ci ouvrait les portes à l'arrière de sa voiture, je découvrais un trésor plus fantastique que celui d'Ali Baba, les miches blondes soigneusement disposées sur les tablettes et qu'il manipulait avec précaution en les empilant adroitement sur son bras tendu. L'homme choisissait souvent cette halte pour nourrir sa bête. Il décrochait alors de sous sa voiture une mangeoire ronde en toile grise qu'il assujettissait à la hauteur des naseaux en passant une courroie par-dessus la tête de l'animal, position bien incommode, la bête ainsi muselée obligée de rejeter la tête en arrière pour ingurgiter l'avoine dont une partie tombait par terre et qu'elle ne pouvait récupérer. Mais le cheval au balai, c'est autre chose. Je ne l'ai aperçu que deux ou trois fois, et l'espace d'un instant encore, l'apparition ne durant que les quelques secondes que le fabuleux équipage mettait à passer sous mon balcon. La fugacité et l'intensité de cet instant attendu pendant des semaines l'ont incrusté en caractères indélébiles dans ma mémoire. Il ne survenait pourtant à l'improviste qu'à la fin du printemps, vers la mi-mai, tout risque d'une dernière chute de neige dissipé. L'hiver, les ouvriers de la voirie municipale étendaient du sable sur les trottoirs glacés. À la fonte des neiges, le sable recouvrant les trottoirs rendait maintenant la marche périlleuse, ses millions de petites billes roulant dangereusement sous les semelles. Pour en débarrasser les trottoirs, la municipalité recourait aux bons offices du fameux balai. C'était un gros cylindre de la largeur du trottoir, recouvert d'un crin brun très dur, traversé en son milieu par un essieu autour duquel il tournait, et surmonté d'un siège métallique comme ceux des machines aratoires sur lequel le conducteur en équilibre tenait les guides tout en surveillant la manœuvre. Vision merveilleuse du cheval avançant sur le trottoir dans un nuage de poussière et me paraissant plus gros et plus fort que ceux que je voyais dans la rue, pauvres bêtes égarées parmi les véhicules motorisés. Le trottoir redonnait à ce cheval sa majesté perdue, les passants minuscules lui cédant le pas comme devant un émissaire de la saison douce qu'il annonçait infailliblement, réincarnation de l'antique cheval de labour traçant d'imaginaires sillons dans la terre désormais cimentée.

Notre voisin de palier s'appelait Monsieur Groleau. Ce nom sonore m'amusait et je prenais plaisir à le répéter inlassablement, Groleau, Groleau, Gro-

leau. Mon amusement tourna au fou rire le jour où
j'appris que Mme Groleau était une demoiselle Poisson, l'union d'un Groleau et d'une Poisson me semblant une cocasserie de la nature en regard de
laquelle les croisements les plus hybrides que l'on
puisse imaginer faisaient piètre figure. Le couple
Groleau-Poisson avait eu du moins la prudence de
ne pas faire d'enfants. Le Groleau était à la hauteur
de son patronyme, quinquagénaire, les cheveux
blancs, rondouillet, la figure pleine et rieuse, une
canine recouverte en or, de petits yeux moqueurs
derrière ses lunettes. Boucher de son métier, il
m'affirmait faire partie à ce titre de notre famille
et demandait en riant à ma mère à qui il apportait
souvent des os pour la soupe s'il était son boucher
préféré. Par beau temps il sortait sa berceuse sur le
balcon pour lire son journal et profiter de ce qui
restait de la journée car ses heures de travail étaient
longues. En se berçant, il fumait et, grande attraction, il fumait le cigare. La mise à feu se déroulait
avec la solennité d'un rite. Il extrayait de son étui
un cigare, en détachait la bague, le mouillait, coupait
le bout d'un coup sec des dents, frottait une allu-
mette, démarrait à petites aspirations répétées puis,
ralentissant le rythme, il exhalait une abondante
fumée odorante, s'amusant pour mon plaisir à main-
tenir en équilibre les cercles de cendres refroidies
et à dessiner des anneaux parfaits qui s'élevaient
lentement dans l'air. Et il y avait le crachoir, objet
que je n'ai vu utiliser que par lui seul qui en avait
contracté l'habitude depuis sa jeunesse et dont il
refusait de se départir malgré les objurgations de son
épouse née Poisson. Sans interrompre le mouvement
de la berceuse, il atteignait la cible d'un jet précis
puis éclatait d'un rire victorieux qui illuminait cette
fin de journée.

Décidée à briser ma solitude, ma grand-mère

m'amenait parfois en visite chez des parents ou des amis. Quel avait été mon désarroi le jour où pour la première fois nous étions allés chez les Lavoie! Ils habitaient rue Sainte-Catherine est, le deuxième étage d'un immeuble en pierres de taille dont le rez-de-chaussée était occupé par un bureau de poste et qui vient d'échapper au pic des démolisseurs, une salle de spectacles y ayant installé ses pénates. Monsieur Lavoie devait à son emploi de concierge du bureau de poste d'habiter cet immense logement à la mesure cependant de la ménagerie qui le peuplait. Il comptait une quinzaine de pièces disposées autour d'un hall d'entrée et le long de deux corridors se croisant à angle droit et dans lesquelles grouillaient au bas mot une douzaine de personnes, les réguliers, les fils et les filles des Lavoie et les chambreurs comme mon oncle Rolland, sans compter les visiteurs qui défilaient à toute heure du jour et de la nuit. Fils unique jusqu'à six ans, et quand on l'est jusqu'à cet âge on l'est pour la vie, j'eus l'impression de m'enfoncer dans une jungle, d'autant plus que, dès que la sonnette d'entrée retentissait, un oiseau, serin, canari ou perruche, s'égosillait dans sa cage dans l'espoir insensé de couvrir le tumulte ambiant et particulièrement la voix caverneuse de la patronne qui, expansive, émergeait de la cuisine à la rencontre des arrivants en s'essuyant les mains sur le tablier qui ne la quittait jamais. Seul enfant dans la place, je devenais aussitôt le centre d'attraction de tout ce grand monde. On me parlait, me cajolait, m'offrait à boire et à manger, me taquinait, je n'avais assez d'yeux pour tout voir, la tête me tournait. Ravi et craintif, je baignais dans une luxuriance de vie m'enchantant et m'effrayant tout à la fois, je découvrais un univers auquel jamais je n'avais rêvé dans l'intérieur feutré du quatre pièces de la rue Beaubien. Pouvait-on comparer l'immense terrasse ensoleillée sur laquelle ouvrait la cuisine des Lavoie, son plancher de bois gris cerclé d'un rempart où poussaient une variété de fleurs et d'où s'offrait une vue sans limites sur le fleuve, à notre cour lugubre, emprisonnée des quatre côtés par des hangars interceptant le soleil même en plein midi et dont ma mère m'interdisait d'ailleurs l'accès de peur que je ne me rompe le cou en passant au travers de la balustrade à claire-voie? Une telle distance séparait le réduit de la rue Beaubien du château de la rue Sainte-Catherine que jamais le tramway Papineau ne serait parvenu à nous y conduire, y serions-nous restés assis une journée entière.

Je revins pourtant à cette époque d'un voyage plus lointain que celui de la rue Sainte-Catherine ou même celui de Plattsburg où nous étions allés en pique-nique un dimanche dans la Buick du cousin Guilbert. Le quai d'embarquement était situé chez un médecin du quartier. À la suite de fréquentes amygdalites, mes parents, sur les conseils du laryngologiste, avaient résolu l'ablation de mes amygdales, opération bénigne et sans conséquence lorsque subie en bas âge. Elle eut lieu dans le cabinet du spécialiste, sur une espèce de fauteuil de dentiste auquel on m'avait attaché. Comme boucher, j'aurais préféré Monsieur Groleau à ce chirurgien à la mine patibulaire. De l'opération proprement dite je ne me souviens pas, ayant été anesthésié, mais de l'anesthésie j'ai gardé le souvenir le plus vif et le plus désagréable qui soit. Chloroformé, je sombrai bientôt dans le coma par l'effet du masque à gaz qui relaya le tampon. Je ne sentis aucune douleur physique mais j'eus à tout instant conscience de mon inconscience. Je tombais au fond d'un trou noir, impuissant à stopper ma chute malgré tous mes efforts. À mon réveil, médecin et parents se congratulaient du succès de l'opération. Si j'avais pu parler j'aurais exprimé un point de vue différent. On recommanda de ne me donner à manger pendant quelque temps que des aliments mous pour ne pas irriter la gorge. Peine perdue car, vengeance de ma part contre mes bourreaux, j'exigeai et obtins qu'on me serve du roquefort et des craquelins que j'avalais en quantité industrielle sans égard pour ma chair à vif, la diète prescrite et le portefeuille de mon père, ce fromage coûtant fort cher.

Aussi, malgré ces quelques incursions à l'extérieur, demeurais-je l'enfant solitaire du balcon et lorsque le temps arriva d'aller à l'école où, comme mes parents me le disaient, je pourrais me faire de petits camarades, je n'en vis pas la nécessité, habitué désormais, et pour toujours, à vivre seul. Il fallut pourtant m'y résigner. Mon premier jour d'école fut un événement moins pour moi que pour ma mère qui vint me reconduire et me chercher. Du reste, je ne me souviens de rien de cette année si ce n'est d'un instantané de ma première communion. Une scarlatine sacrilège avait failli me faire rater ce point culminant de l'année. Je me rétablis in extremis au vif soulagement de mes parents. Le matin du grand jour, j'étais blanc comme une hostie, les traits tirés, les yeux enfoncés dans les orbites. La cérémonie eut lieu dans l'église paroissiale. J'avais développé pour cet édifice une aversion instinctive qui ne s'est jamais démentie depuis et qui a reçu récemment une confirmation éclatante lorsque j'ai découvert que le maître d'œuvre de cette horreur est aussi l'architecte du corps principal de l'Université de Montréal, bâtisse dont la vue provoquera plus tard de façon tout aussi irrationnelle en moi un semblable haut-le-cœur architectural. Comme je n'avais participé à aucune des nombreuses répétitions, l'institutrice me fit deux recommandations propres à assurer ma complète intégration au troupeau: en m'avançant vers la sainte table je devais, les yeux baissés, suivre les pieds de qui me précédait tout en frôlant les bancs de ma culotte. Je fis les choses convenablement, je veux dire selon les instructions, mais au fond de moi-même je commençais à comprendre que les attroupements, loin de m'attirer, me font fuir, et qu'à la première occasion, abandonnant la cohorte à son sort, j'irais seul mon chemin.

Non seulement la mémoire est-elle une faculté qui oublie mais, chose plus grave, elle n'use d'aucun discernement dans le choix des effets qu'elle saisit dans sa course. Se souvient-on de sa naissance? Et du jour où l'on a marché pour la première fois? Du moins ai-je encore présente à l'esprit l'illumination de ma première lecture d'un journal. Les bandes dessinées de l'édition du samedi de *La Patrie*, *Philomène*, *Tarzan*, *Nos loustics*, exerçaient sur moi un attrait sans partage, la télévision n'ayant pas encore commencé ses ravages. J'attendais l'arrivée du journal avec impatience et je poursuivais alors mon père jusqu'à ce qu'il me prenne sur ses genoux et me fasse la lecture du texte pendant que je dévorais les images des yeux, attentif à lier ce que mes oreilles entendaient et mes yeux voyaient. À l'école nous apprenions l'alphabet, les premières syllabes, les premiers mots, mais je n'avais pas encore saisi que je pouvais désormais lire ces mots ailleurs que dans notre manuel, partout où ils étaient imprimés. La révélation m'en vint un samedi où mon père, trop occupé, remit à plus tard la séance de lecture hebdomadaire. Je me consolai en regardant du moins les images lorsque je reconnus des lettres, des syllabes, des mots, suffisamment pour deviner le sens du texte. M'envahit alors un extraordinaire sentiment de puissance. Des barrières venaient d'être renversées. Mon affranchissement commençait. Le temps du balcon était révolu.

# La rue

La rue

E lle se nommait et se nomme toujours Berri. La famille augmentant, le quatre pièces rue Beaubien devint trop étroit. On déménagea à la fin de ma première année scolaire. Nous quittions sans beaucoup de regret notre premier logis, mes parents depuis leur mariage, moi depuis ma naissance. Comme des milliers de Montréalais du début des années 50, nous gagnions progressivement le nord de la ville, acteurs inconscients d'une transhumance urbaine envahissant des quartiers jusque-là excentriques, à une vitesse imprévue même des spéculateurs. Cet exode nous enthousiasmait d'autant plus que notre nouveau logement était supérieur à l'ancien sous tous les rapports. Notre demeure ne se distinguait pas à première vue de ses semblables, soudées les unes aux autres en deux murailles étanches sur chaque rive de la coulée d'asphalte. Mais, vertu insigne, le logement loué par mes parents occupait un rez-de-chaussée, ce dont ils n'étaient pas peu fiers, les « bas » étant plus rares et plus chers que les « hauts », la promotion sociale des familles de l'époque se traduisant curieusement par une descente d'étages. Entre la maison et le trottoir, en un lieu exigu et clôturé pompeusement désigné comme le « parterre », poussait un maigre gazon qui me fit aussi forte impression que si je me fusse trouvé au milieu d'un pré verdoyant.

L'intérieur de la maison me causa un choc non moins violent tellement celle-ci me parut immense. Elle ne comptait pourtant que six pièces de moyenne grandeur en plus de la cave à laquelle on accédait par une trappe percée dans le plancher du garde-manger. Y descendre, c'était s'enfoncer dans une grotte de ténèbres avec pour seul point de repère une ampoule électrique ridicule. Seul était creusé le dernier tiers où gitaient la fournaise et le carré au charbon. La moindre qualité de ce logis n'était pas de posséder un système de chauffage central en la personne d'une fournaise alimentée au charbon et reliée à une canalisation d'eau aboutissant dans chaque pièce à un radiateur trapu censé dispenser une chaleur uniforme, fameuse amélioration sur la fournaise de plancher de la rue Beaubien qui jamais ne réchauffait les deux pièces avant, véritables glacières. La supposée fournaise ne fut malheureusement pas digne des espoirs fondés en elle et, pendant le seul hiver que nous habitâmes cette maison, toutes les pièces se mirent à ressembler comme des sœurs aux deux pièces avant du logis de la rue Beaubien. Il fallait en outre acheter, et faire livrer par le soupirail, du charbon qui, en tombant, dégageait une poussière âcre, et surtout en nourrir le monstre à toute heure du jour et de la nuit, faire régulièrement sa toilette, le vider de ses cendres, tout un travail dont l'unique avantage était de mettre en nage celui qui s'y adonnait comme si, malgré les apparences contraires, la maudite fournaise voulait prouver à toute force qu'elle tenait son monde bien au chaud. Lorsque je descendais à la cave le samedi pour cirer mes chaussures comme me le commandait mon père, c'est néanmoins du côté de la fournaise qu'instinctivement je me tournais comme vers un refuge. Les deux tiers non creusés m'inspiraient en effet une vive terreur. Dans cette partie sombre un pied à peine séparait le plancher du sol en terre battue. Pendant les minutes, pour moi une éternité, où j'étendais le cirage et attendais un peu qu'il sèche avant de le lustrer, je gardais un œil méfiant de ce côté, décelant des craquements sinistres, devinant de furtifs mouvements d'une faune rampante et bondissante guettant un moment d'inattention de ma part pour surgir de l'ombre. Ma peur n'avait alors d'autre choix pour se calmer que de puiser une nouvelle dose d'assurance dans la vue de la fournaise ruminant avec une patience bovine sa dernière fournée de charbon et, à travers la lunette, de la lueur rougeoyante s'opposant victorieusement à l'envahissement des ténèbres.

La cour, à laquelle j'avais accès pour la première fois, porta cependant mon excitation à son comble. Minuscule et peu éclairée, elle m'apparut vaste et lumineuse en regard de celle de la rue Beaubien. Une haute clôture de bois grise aux allures de palissade la ceinturait comme pour nous protéger contre quelque invasion de nos voisins d'en arrière et de côté. Le hangar distant d'une quinzaine de pieds et la passerelle le reliant sur toute sa largeur à la maison accaparaient la moitié de la cour. Cette terrasse carrée permettait de jouer dehors après la pluie, le soleil y donnant à plein sitôt les nuages dispersés, alors que le sol boueux de la cour m'aurait autrement contraint de demeurer à l'intérieur. Les jours de pluie par contre, restaient les richesses inépuisables du hangar, gigantesque boîte au trésor où, en cherchant bien, je pouvais toujours dénicher quelque trouvaille, un clou, un fer à cheval, que sais-je encore. Un tunnel reliait la cour à l'air libre, étroit passage se faufilant entre les murs rapprochés de notre maison et de celle de nos voisins jusqu'à la pleine lumière de la rue. Au début je ne fus pas tenté de m'enfuir par ce corridor de la liberté. Ses allures de coupe-gorge, la nouveauté de la cour, de la passerelle et du hangar, le spectacle des balcons voisins comme si je me fusse trouvé à la fois sur la scène la proie du regard des autres et dans la salle dans la position du spectateur, tout cela m'occupa pendant un moment. Lorsque revint le temps de l'école, je tournai cependant le dos avec joie à ce paradis éphémère.

La rue devint mon domaine. Quand je dis la rue, j'entends le trottoir la bordant du côté est entre Guizot et Liège et qui, chemin du roi, me donna accès à toutes les maisons y ayant front, surtout celles peuplées d'enfants. Il en sortait de partout et j'eus pour la première fois une nuée de camarades. Je n'en aurais d'ailleurs pas cherché dans les rues voisines. Des frontières imaginaires, mais aussi réelles que les vraies, quadrillaient en effet l'espace urbain. La paroisse composait le territoire le plus vaste auquel nous avions conscience d'appartenir, encore qu'à l'âge où j'étais il n'était pas question de le sillonner en son entier. Même si nous nous sentions dans nos murs à l'intérieur du périmètre paroissial, nous n'étions vraiment chez nous que dans notre bout de rue, arche de Noé voguant en solitaire au milieu de la mer citadine. Rarement traversions-nous les limites paroissiales et c'était alors le plus souvent en compagnie de nos parents ou pour quelque raison sérieuse, avec la pleine connaissance, mêlée de crainte et de curiosité, de pénétrer en pays étranger. Chaque paroisse était un pays et l'on déclinait sa citoyenneté paroissiale avant de faire valoir ses titres à l'individualité. La frontière ouest de notre paroisse coupait la rue Saint-Denis sur sa longueur et la rue Guizot en marquait la bordure sud. Nous habitions donc à une extrémité du territoire paroissial dont nous subissions néanmoins l'attraction avec la même force que si notre maison se fût trouvée à côté de l'église. Il en était ainsi dans les paroisses environnantes en sorte que des gens, demeurant de part et d'autre de rues-frontières et que cette proximité aurait rapprochés en d'autres circonstances, n'avaient que très peu de liens, quand ils ne se regardaient pas en ennemis, parce que les uns habitaient Saint-Alphonse d'Youville et les autres Saint-Vincent Ferrier. Jamais en tout cas n'ai-je songé à me chercher des amis du côté sud de Guizot pourtant beaucoup plus proches physiquement que ceux près de Liège, comme si l'école et l'église m'entraînaient irrésistiblement dans leur orbite.

L'école Saint-Gérard me déplut au premier contact. Elle accueillait des élèves de la première à la septième année, chaque niveau comptant deux, souvent trois classes, formant au total une population aussi nombreuse que turbulente qui transformait la cour d'école en cour des miracles. Soucieux de contrôler à tout instant la situation, le directeur de l'école et son préfet de discipline, sans doute d'ex-militaires récemment recyclés dans l'enseignement, imposaient à cette piétaille insubordonnée un régime spartiate. Nous vivions à l'heure des cloches. Au premier coup de cloche tout le monde devait s'immobiliser sur place et garder le silence. Deuxième coup de cloche et chacun se dirigeait toujours en silence à l'endroit désigné de la cour où s'alignaient sur deux rangs les classes devant leurs titulaires droits comme des quilles. Troisième coup de cloche, les groupes défilaient dans un ordre prescrit et gagnaient les salles de classe sous les regards mauvais des deux gardes-chiournes. Malheur aux retardataires! Et malheur aux absents sans motivation écrite de leurs parents! Et trois fois malheur à ceux qui perturbaient le bon ordre en rompant la consigne du silence ou par quelque étourderie! À ceux-là, le préfet, un vrai taupin, commençait par délicatement serrer les ouïes ou tirer l'oreille avant d'inscrire leur nom dans son calepin noir, ce qui leur donnait automatiquement droit à une ou plusieurs séances de retenue, selon la gravité de la faute ou son humeur, à quatre heures, debout comme des piquets dans la grande salle. Les récidivistes, les récalcitrants, les têtes chaudes étaient gratifiés d'un traitement de faveur, celui de la « strappe » aussi appelée « banane », lanière de cuir épais que le préfet rabattait avec plaisir sur la main des coupables. Nous n'étions pas à l'école mais à la caserne. Interdiction formelle dans les couloirs d'adresser la parole à quiconque sauf en raison de force majeure, et obligation tout aussi formelle de saluer nos professeurs d'un « Bonjour monsieur, madame ou mademoiselle ». La sévérité des règlements prévalant dans les escaliers et les couloirs était telle qu'en entrant en classe, la porte refermée, nous gagnait un sentiment de délivrance, même si la tête fulminante du préfet pouvait surgir à l'improviste dans la vitre de la porte et fusiller les étourdis que le professeur ne voyait pas ou dont il ne se souciait tout simplement pas.

Bien que plus au nord de la ville que ma première école, celle-ci se révéla, contre mon attente, plus ancienne. En y pénétrant la première fois, j'éprouvai la pénible sensation de me trouver en présence d'une vieillerie. Les escaliers étaient en bois, les marches arrondies par des générations d'élèves menées à la baguette, les planchers de lattes non vernies que le concierge lavait à la grande eau. Tout cela craquait au moindre mouvement, sentait le vieux, suintait l'ennui. Les deux années où je fréquentai cette école, j'eus comme titulaires des professeurs ayant l'âge de l'établissement, une vieille demoiselle ratatinée et un vieux monsieur au crâne dénudé autour d'une couronne blanche, qui, l'une et l'autre, n'avaient heureusement rien perdu de leur vivacité et surent nous prodiguer, en même temps que le savoir, l'affection si rare dans ce camp de travail forcé.

Deux passions, les cartes et les billes, agitaient selon les saisons la cour de l'école. Jusqu'à la venue de la neige, régnait, incontestée, celle des cartes. Cartes de joueurs de baseball et de hockey achetées en paquet et enveloppées avec une plaque de gomme à mâcher, que l'on collectionnait, que l'on échangeait, que l'on jouait en les projetant d'un geste vif du poignet, la plus près du mur étant la gagnante, que l'on transportait précieusement, dont on montrait les plus beaux joyaux aux copains admiratifs, et dont un jour je me suis débarrassé et que j'aurais mieux fait de garder car elles valent cher aujourd'hui pour certains amateurs. Sitôt l'hiver installé pour de bon, cette passion impérieuse s'effaçait néanmoins devant celle des billes qui sévissait l'année durant mais devenait irrésistible avec l'arrivée de la neige. Les billes multicolores brillaient d'un éclat nouveau sur le fond blanc de la neige glacée, surface idéale à leur roulement. Chacun s'amenait alors à l'école avec ses billes, les plus fanatiques les protégeant dans une bourse dont, une fois les cordons déliés, ils manipulaient certains spécimens avec précaution. Et les parties s'engageaient, et des fortunes s'écroulaient et d'autres s'édifiaient au gré du sort et de l'habileté! Trois types de parties se pratiquaient. La première consistait à toucher une bille plus grosse que les autres, nommée « patate », à l'aide de billes ordinaires lâchées à tour de rôle par les deux joueurs debout au-dessus de ladite « patate »: la première bille à faire contact valait à

son propriétaire toutes les billes engagées. Un
second type de partie demandait de loger le plus
grand nombre de billes possible dans un trou au
pourtour arrondi creusé dans la neige, les adversaires faisant rouler leurs billes à partir d'une marque
de départ.

À la différence de ces deux parties où l'on perdait rarement beaucoup, la troisième entraînait souvent des pertes considérables par l'excitation qu'elle
générait. La mise alléchante fouettait les joueurs.
Les « patates » étaient rares et donc enviées. Le
détenteur d'une « patate » décidait parfois de la
mettre à l'enchère. Il la disposait alors sur la neige
en invitant les joueurs à essayer de la toucher
directement en lançant un nombre déterminé de
billes à partir d'un point situé à une dizaine de
pieds. L'exploit nécessitait un joli « visou » ou encore beaucoup de chance. Appâtés par la « patate »
scintillante, les joueurs déliaient fébrilement les
cordons de leur bourse. Le margoulin en herbe reprenait le plus souvent sa « patate », empochant en
plus les billes des malheureux qui abandonnaient
souvent sur le tapis blanc leurs pièces les plus précieuses, tant était forte la frénésie du jeu. Un certain
équilibre s'établissait malgré tout. Après avoir frôlé
la ruine et s'être refait en se remettant aux deux
autres types de parties, un veinard ou un audacieux
décrochait parfois le gros lot au moment où il pensait avoir une fois encore tout perdu. À peine com-
mençait-il à savourer sa victoire que certains spectateurs, enhardis par ce dont ils venaient d'être les
témoins, le pressaient de remettre sa « patate » en
jeu, le tentant par des offres d'autant plus irrésisti-
bles que lui-même se trouvait dans la nécessité de se
reconstituer un stock de billes. L'appétit du gain
changeant simplement d'objet, la « patate » si longtemps convoitée était ainsi réintroduite dans le cir-

cuit sur-le-champ, la grande roue de la fortune tournant sans jamais s'arrêter, la cour de l'école étant
bien davantage que la salle de classe, la vraie, la
seule école de la vie.

L'église Saint-Alphonse n'avait rien à envier en
laideur à sa consœur de la rue Beaubien. Si la chose
peut se concevoir, elle renchérissait de toute sa pré-
tention. Comment en effet comprendre qu'ait été
construit un pareil bloc de pierre aussi étranger à
l'architecture du quartier qu'une météorite venue du
fond de l'univers, sinon en acceptant l'idée par ailleurs démentielle que paroissiens et pasteurs avaient
cru ainsi s'élever au-dessus des paroisses environnantes? Cela donnait dans un vague néo-gothique et
Dieu sait si ce style m'est hostile. L'intérieur était
à l'avenant: immense, haut, gris, froid, glacial même,
à tel point qu'on peignit un jour les plafonds en bleu
et or pour mettre quelque couleur dans ce sépulcre à
colonnes. La clé de cette énigme architecturale se
trouvait peut-être du côté des seigneurs des lieux,
une communauté de Rédemptoristes, congrégation
importée de Naples j'ignore en quelles circonstances
et qui, à ma connaissance, n'a pas beaucoup pros-
péré ici, ce qui n'est pas faute d'avoir essayé, la
succursale établie dans notre paroisse étalant tous
les signes de la prospérité, grosse église, gros presbytère, appelé monastère, relié à l'église par une
galerie vitrée, et derrière lequel s'étendaient les aises
d'un jardin, avec tonnelle et pergola, le paradis sur
terre. Je suis toujours étonné que les plus acharnés
des missionnaires du royaume des cieux n'en sont
pas moins souvent confortablement installés dans
des palais terrestres qu'ils n'ont pas l'air d'avoir
envie de quitter, signe que la religion est leur pactole
et qu'ils ne croient pas trop ce qu'ils prêchent des
célestes félicités car, ne prenant aucun risque, ils
accaparent ici-bas toutes celles qu'ils peuvent.

Toute médaille a heureusement son revers. De l'étranger d'où ils étaient originaires, les Rédemptoristes avaient amené dans leurs bagages certaines pratiques nouvelles. Ainsi des quêtes, car quêtes il y avait. Partout ailleurs on utilisait, pour recueillir les dons des fidèles, des assiettes rondes en métal dont le fond, bien que tapissé de feutre, n'atténuait pas beaucoup le son produit en tombant par les espèces sonnantes et trébuchantes. Une bonne partie des offices religieux se déroulait ainsi dans la musique cristalline des piécettes se heurtant, roulant, s'amoncelant en un crescendo culminant en bout d'allée lors de leur transvasement dans la poche de velours rouge tenue par un enfant de chœur novice. Ces assiettes avaient du moins l'avantage de faciliter la manœuvre: leur diamètre étant inférieur à celui de la poche, il suffisait de les y introduire en entier avant de les renverser sans risque que ne roulent sous les bancs quelques pièces rebelles. Les bons Pères recouraient, au contraire, pour la cueillette des offrandes à de grands paniers d'osier fixés au bout d'un long manche. Les avantages de ces paniers étaient évidents. Outre que leur allure aristocratique déclassait les assiettes plébéiennes, ils supprimaient presque totalement le son métallique des pièces tout en permettant de rejoindre sans effort les fidèles démunis ou ladres réfugiés dans les places centrales et à qui il était désormais possible de tendre sous le nez le panier insolent. Le maniement de ces paniers emmanchés de la sorte demandait par contre de la dextérité, particulièrement pour les faire passer d'une rangée de bancs à la suivante en contournant sans l'accrocher le sac à sous, par ailleurs nommé fidèle, occupant le bout du banc près de l'allée. Cela n'était rien toutefois en regard des contorsions auxquelles devaient se livrer le collecteur et l'enfant de chœur pour vider le contenu dudit panier, aux rebords hauts, au diamètre encombrant

et au manche maintenant trop long et agité par les
secousses, dans la pauvre petite poche toute rouge
d'avoir à subir en public pareil assaut.

D'où venait aussi cette heureuse coutume que je
n'ai vue nulle part ailleurs de distribuer un certain
jour de l'année, était-ce celui de la Saint-Alphonse,
fondateur des Rédemptoristes, des petits pains à tous
ceux s'agenouillant à la sainte table? L'affluence en
tout cas était grande et certains se présentaient à
deux reprises, au début et à la fin de la distribution, touchant un second pain qu'ils exhibaient comme un trophée. Ces pains ronds et blonds, qui em-
baumaient et que l'on mangeait avec délectation,
conféraient pour ce seul jour de l'année à cette
bâtisse, par ailleurs si froide, une humanité d'autant plus précieuse que fugace, comme si, l'espace
de ce court instant, les ecclésiastiques eussent parlé
enfin le même langage que leurs ouailles.

D'autres activités plus prosaïques se déroulaient
cependant au sous-sol de l'église mué pour la circonstance en salle paroissiale, comme pour bien
montrer qu'on ne mêlait pas les torchons et les
serviettes. C'est dans ce sous-sol que je me trouvai
pour la première fois face à un écran de cinéma,
l'année même où la télévision naissait à Montréal.
Des séances de projection avaient lieu les dimanches
après-midi, le coût d'entrée symbolique ouvrant à
tous les jeunes l'admission aux représentations.
Nous nous rendions longtemps avant l'ouverture des
portes pour avoir les meilleures places, ayant acheté
en chemin un sac de chips à un cent dont on se
tamponnait la bouche, les yeux soudés à l'écran.
Notre capacité d'étonnement et d'imagination non
encore déflorée par la télévision, nous vivions une
expérience extraordinaire, presque magique, com-
muniant unanimement à l'écran lumineux où bou-

geaient hommes et choses. Nous avalions tout, dessins animés, westerns, films de guerre aussi, les plus
appréciés surtout quand ils recelaient des duels
aériens où s'affrontaient des avions dans une lumière jaune, comme pour nous inculquer dès le bas
âge la nécessité de la guerre sainte dont la dernière,
mondiale, s'était terminée à peine sept ans plus tôt
et qui renaissait de ses cendres depuis deux ans dans
la lointaine Corée. Ainsi lentement des images du
monde extérieur nous étaient communiquées, agran-
dissant le champ d'horizon de notre conscience.
Trois événements allaient bientôt précipiter les
choses.

La compagnie *Habitant*, spécialisée dans la mise
en conserve de produits alimentaires, opérait une
usine dans le voisinage. Les confitures de fraises
étaient un produit vedette de la maison. Quiconque
a préparé de ces confitures sait qu'il faut agir avec
diligence, sitôt cueillies les fraises ayant la déplo-
rable habitude de se transformer d'elles-mêmes en
confiture, mais à l'apparence et au goût douteux.
Tout spécialistes en confitures qu'ils étaient, les
dirigeants de l'usine se trouvaient « *in a jam* »
lorsque les livraisons de fraises fraîches affluaient
vers la conserverie. Le personnel régulier ne suffi-
sant plus à la tâche, il leur fallait recruter de toute
urgence une main d'œuvre taillable et corvéable à
merci, je veux dire non spécialisée, donc peu payée,
embauchable et débauchable à loisir. Ils eurent alors
l'idée de génie, que du reste d'autres avaient eue
ailleurs en leur temps, mais qu'ils apprêtèrent, c'est
le cas de le dire, à la sauce moderne, celle d'enga-
ger des enfants pour équeuter les fraises. La nouvelle
se répandit dans le quartier comme une traînée de
poudre: on engageait à huit heures les samedis matin
pendant les quelques semaines de la récolte et l'on
payait un cent le casseau équeuté. Le samedi suivant

on partit à plusieurs louer pour la première fois notre
force de travail. C'était la grande aventure, l'usine
étant située dans la paroisse voisine. Mieux valait
alors voyager en bande dans ce territoire étranger sur
lequel nous pénétrions non sans quelque secrète
appréhension. Arrivés devant l'usine, nous nous
aperçûmes n'être pas les seuls à avoir eu l'idée
d'amasser un petit pécule. Il fallait se mettre en ligne
sous les quolibets des premiers venus qui, la plupart
demeurant dans les environs immédiats, se sentaient
dans leurs terres et considéraient avec hostilité la
main d'œuvre étrangère que nous formions. Se
mettre en ligne n'était rien, encore fallait-il garder
son rang, résister à l'assaut des derniers venus désireux d'améliorer leurs chances d'être employés, empêcher d'audacieux resquilleurs de se faufiler dans
le peloton de tête au dernier instant. Après avoir
joué du coude pendant de longs moments, on voyait
souvent le chef de l'embauche décréter que les effectifs étaient complets au moment où notre tour arrivait.

Quelle fête cependant lorsque nous étions
acceptés! On nous installait sur des bancs le long de
grandes tables en bois. Commençait alors le travail
ou plutôt la partie de plaisir car, sous le regard des
surveillants, toute inimitié disparaissait au sein de la
masse laborieuse qui serrait maintenant les coudes.
Rires et cris fusaient de partout dans le travail mo-
notone consistant à arracher avec le pouce et l'index
les queues vertes des fraises. On nous distribuait à
chacun un casseau plein que nous renversions sur la
table et remplissions à nouveau des fruits équeutés.
Ce travail terminé, le surveillant ramassait le contenu, nous laissant le casseau vide que nous placions
avec orgueil devant nous. On ne nous interdisait
pas de manger des fraises en travaillant, ce règlement aurait été inapplicable, mais le surveillant ne

nous apportait un nouveau casseau qu'en échange
d'un casseau comble de fruits équeutés. La pile de
casseaux vides devant nous témoignait de notre travail ou de notre paresse. Les trop goinfres et les trop
lambins étaient impitoyablement renvoyés, des rem-
plaçants n'attendant que cette occasion à la porte.
À midi l'usine fermait. On faisait les comptes. Notre
pile de casseaux à la main, nous passions à la
caisse séance tenante toucher nos gages, trois ou
cinq cents pour les retardataires, les malhabiles ou
les trop consciencieux, entre dix et quinze pour les
honnêtes travailleurs, vingt-cinq pour les champions
émérites. Peu importe notre salaire, nous sortions de
l'usine grandis, palpant au fond de nos poches les
pièces d'argent. Cinq cents suffisaient amplement
à se payer un dimanche de rêve où se mêlaient en
macédoine, chips, chocolats, bonbons, gomme à mâcher. Notre paye survivait rarement jusqu'au lundi.
Seuls témoins de notre labeur, nos doigts tachés du
rouge des fruits qui mettait plusieurs jours à s'effa-
cer et conservait loin dans la semaine la bonne odeur
des fraises.

Aurais-je thésaurisé cet argent et les moindres
sous dont je voyais la couleur au lieu de les dépen-
ser, qu'il m'aurait fallu plusieurs années de patientes
économies pour acheter l'objet dont nous rêvions
tous: une bicyclette. J'ignorais que l'achat d'un tel
engin représentait pour mon père aussi un déboursé
considérable. Mes parents appréhendaient en outre
me voir rouler dans la rue étroite, toujours bordée
de voitures en stationnement, à la circulation inces-
sante. Pourrais-je seulement actionner le pédalier?
Une occasion se présenta, un compagnon de travail
de mon père désirant vendre celle de son fils maintenant trop grand. C'était un modèle rare à l'époque,
les roues n'ayant que vingt pouces de diamètre, ce
qui convenait à ma taille. Le marché fut bâclé pour

vingt dollars. Je ne me possédais pas de joie. Avant de l'enfourcher, je dus cependant promettre d'obéir scrupuleusement à la liste de recommandations de mes parents: circuler sur le trottoir, ne pas rouler trop vite, ne pas sortir d'un certain périmètre, rentrer à la maison dès la brunante, ne jamais laisser ma bicyclette sans surveillance, etc. Tout cela sous la menace de me la voir confisquer à la première offense. Je promis tout, aveuglément. Je pus enfin m'élancer, agrippé au guidon. Je vécus des débuts pénibles car n'ayant jamais conduit pareille monture je dus apprendre à la dure à tenir en selle. Ce fut chose faite en moins d'une semaine et je goûtai alors à la griserie de la vitesse. Une erreur de novice me ramena bien vite par terre. Mon pantalon que je n'avais pas relevé ou attaché se coinça soudainement dans la chaîne du pédalier, m'interdisant tout mouvement vers l'avant ou vers l'arrière. Lentement la bicyclette ralentit, s'immobilisa, et je perdis l'équilibre. Incident sans gravité si, routier expérimenté, j'avais manœuvré pour chuter du côté de ma jambe libre. Je tombai évidemment de l'autre, le coude le premier, qui absorba tout le choc. Le bras enfla en un instant, je ne pouvais bouger le petit doigt sans hurler à la mort. Taxi, hôpital, radiographie, examen par un chirurgien et sa classe d'internes qui chacun leur tour me palpèrent le bras, et deux fois plutôt qu'une, anesthésie heureusement cette fois au penthotal, opération, plâtre, réveil comateux dans une chaise roulante, je pouvais prendre mon coude à témoin que j'avais fait dans le monde de la vitesse une entrée fracassante.

Cela n'était rien toutefois en comparaison de l'incroyable invention commençant d'apparaître dans le foyer de privilégiés du quartier: la télévision. Je venais à peine de découvrir la radio et j'écoutais quelques continuités avec ferveur, assis près du poste récepteur, l'oreille tendue: *Nazaire et Barnabé* en semaine, *Zézette* le samedi matin, et *l'Histoire de Dieu* le dimanche après-midi à la suite du récital sur disques de Caruso. La radio provoquait l'imagination de l'auditeur qui, à partir des voix des comédiens et des bruits les accompagnant — le bruiteur jouait un rôle clé —, se représentait la scène, inventait un décor, des costumes, des éclairages plus vrais que s'ils eussent été réels. Je l'avais constaté en assistant en personne à une émission de radio. Le samedi matin, avant *Zézette,* Armand Marion animait une émission de jeunes talents. On y entendait des voix tremblantes chanter *Le ver luisant* et des musiciens en herbe interpréter *La Comparsita* à l'accordéon pour les plus fortunés, ou, pour les plus pauvres, aux « os », deux os plats et larges tenus entre le majeur et l'index et qui, frappés l'un contre l'autre, reproduisaient des mélodies avec une fidélité parfois étonnante.

L'émission évidemment en direct se déroulait chaque semaine dans une paroisse différente. Un samedi ce fut notre tour. Je m'y rendis. Mal m'en prit car de ce jour je n'écoutai plus l'émission avec la même assiduité. Le charme était rompu. Armand Marion n'avait pas le physique de sa voix. Chanteurs et musiciens ne gagnaient à être vus que de baigner dans le ridicule des gestes, du costume et du décor qui, du moins, ne passait pas le micro. Aussi l'annonce de la venue de la télévision me rappela-t-elle cette émission de radio. Rien d'emballant. Jusqu'au jour où les parents de quelques-uns de mes camarades achetèrent des appareils. Je vis ma première émission un soir, au retour de l'école, dans la maison d'un compagnon dont la famille était la plus nombreuse et la plus pauvre de la rue. Nous commençâmes par dévisager un long moment dans un recueillement quasi religieux la tête du chef indien immobile. Lorsque des personnages de dessins animés s'agitèrent sur l'écran, nous entrâmes en état d'hypnose, rivés sur nos sièges. Quelque temps plus tard, j'eus la permission de mes parents d'accepter l'invitation d'un petit voisin d'assister à huit heures précises à une émission plus sérieuse dont tout le monde parlait, *Pays et merveilles*, animée par André Laurendeau. Les téléspectateurs y étaient entraînés dans la découverte d'un pays nouveau, France, Italie, Grèce, à l'aide de photos et de films. Nous découvrions le monde dans son immensité, nous apprenions qu'en Espagne vivaient des Espagnols, au Portugal des Portugais. Nous n'étions plus seuls sur terre. La lentille de la caméra venait d'être changée. Du gros plan nous étions soudainement passés au grand angulaire, la rue Berri, de centre du monde qu'elle avait été jusque-là, n'étant plus maintenant qu'un point imperceptible.

# Le Frère
# Germain

J'avais neuf ans lorsque mon père acheta un terrain encore plus au nord de la ville pour y construire maison. Jamais je n'oublierai le jour où il m'amena le voir. Le tramway 24 circulait sur la ligne sans doute la plus longue de tout le réseau, s'étirant du terminus Craig à la frontière de Montréal-Nord. Le 23 suivait le même parcours mais faisait demi-tour au carrefour Millen d'où partaient des autobus pour Cartierville et le parc Belmont. Je connaissais vaguement le trajet. Nous étions récemment allés en promenade chez des cousins déménagés depuis peu dans des maisons nouvellement construites à Montréal-Nord. Le tramway 40 prenant sur une seule voie le relais du 24 amenait les voyageurs dans la lointaine paroisse Sainte-Gertrude. Nous montâmes dans le 24 à Guizot. Le tramway bifurqua vers l'est à Crémazie, passa devant l'église, puis tourna à gauche et plongea subitement en pleine campagne. Les rails, qui jusque-là respectueux des convenances urbaines s'étaient enfouis dans l'asphalte, rejetaient à cet endroit du trajet ce corset que la civilisation leur avait imposé: apparaissaient maintenant de vrais rails de chemin de fer posés sur des dormants créosotés couchés sur le ballast. Comme un pur sang trop longtemps retenu, le tramway s'élançait enfin à pleine vitesse, les feux de circulation absents, les automobiles disparues, les arrêts rares. De chaque côté des fenêtres ouvertes défilaient des prairies, des bosquets, des taillis, des champs où parfois une clôture de broche encerclait un jardin. Partout des oiseaux, des arbres, le vent, des odeurs d'herbe et de fleurs sauvages auxquelles se mêlaient, toujours présentes, celle entêtante de la créosote et celle irrésistible des frites. Car pour moi frites et tramway 24 étaient indissociables. Au carrefour Millen où le 23 achevait sa course, et surtout au terminus de Montréal-Nord jusqu'où continuait le 24, « Lesage Patates » tenait feu et lieu, invitant les voyageurs à croquer des frites chaudes, huileuses, salées, vinaigrées, dont la senteur répandue à la ronde avait comme imprégné le tramway lui-même. Il était rare en effet qu'il n'y ait pas au moins un voyageur dans le 24 en train d'engloutir de ces frites, le conducteur cassant lui-même souvent la croûte. Il y traînait toujours un sac graisseux rappelant la présence des frites et de la campagne jusqu'en pleine ville. Et, fragile esquif roulant et tanguant sur une mer de hautes herbes en été et fendant des vagues de neige dans un océan de glace en hiver, le 24 traversait des immensités inhabitées sur lesquelles s'abattrait bientôt une nouvelle ruée vers l'or.

Ce jour-là je ne parlai pas des frites, tout à l'excitation de la découverte du quartier où nous allions bientôt habiter. Nous descendîmes du tramway quelques arrêts avant la gare de Montréal-Nord. Une végétation épaisse cernait le quai désert et je commençais à m'interroger sur le sérieux des intentions

paternelles de déménager dans un pareil coin perdu.
Nous traversâmes un méchant chemin de terre en-
duit d'huile goudronnée destinée à empêcher la
poussière de lever, précaution inutile me sembla-t-il,
car ce boulevard Perras, l'ancêtre de l'actuelle piste
d'accélération à huit voies ayant nom boulevard
Henri-Bourassa, était aussi vide que le quai lui
donnant accès. Un sentier grimpait à travers champs.
De rares maisons, la plupart au papier noir, se dres-
saient de loin en loin, signe que les lieux étaient en
partie occupés. D'autres commençaient à s'élever de
fraîches excavations. En haut de la côte, qui dans un
temps immémorial formait la rive sud de la rivière
des Prairies depuis retirée dans le lit ridicule qui
est le sien maintenant, mon père s'arrêta devant un
champ où pointaient des piquets d'arpenteur badi-
geonnés en rouge. « C'est ici », dit-il avec fierté.
Je regardais « notre terrain », incrédule, comme si
au fond d'un cimetière de campagne mon père venait de m'indiquer le lot familial où nous reposents-
rions tous un jour. Il fallait être fou pour quitter
le pays habité de la rue Berri et venir s'enterrer
dans les concessions! Comment pourrais-je jamais
me faire des amis dans un pareil trou? Mon père
tenta de me rassurer. J'étais au désespoir. C'est lui
qui avait raison cependant. J'aurai plus d'amis que
je ne pourrai les compter. Notre maison achevée
début décembre, le déménagement eut lieu aussitôt.
En quelques années, les bungalows et les duplex
champignonnèrent. Les jardiniers-maraîchers du
boulevard Saint-Michel retraitèrent vers l'est, les
quelques vaches aperçues disparurent elles aussi, les
poulaillers domestiques furent interdits, l'asphalte
et le béton s'infiltrèrent dans les rues, tout cela si
rapidement qu'on se surprenait à se demander si les
choses n'avaient pas toujours été ainsi et si nous
n'avions pas tout simplement rêvé l'époque précédente.

J'arrivai donc dans ma nouvelle école au milieu
de la quatrième année. Placée sous le patronage de
saints hommes morts martyrs de leur foi, elle était
de surcroît dirigée par des Frères qui se réservaient
d'office les trois dernières années du primaire. Le
titulaire de cinquième portait le nom doux et fragile
de Florent. Le Frère Florent avait le physique de son
nom. C'était un jeune homme d'une vingtaine d'années, de beaux yeux noirs enfoncés dans leur orbite,
un visage délicat, maigre même, un corps frêle
aminci encore par la soutane. Pénétré de l'importance de sa mission d'éducateur, il était encore sous
le choc d'être passé directement de sa campagne à
la grande ville. Confondant notre école et le juvénat
de sa communauté, il nous incitait sans relâche à la
prière, au sacrifice, à la communion. Quelqu'un
mourait-il dans la paroisse, était-ce l'anniversaire de
Monsieur le Curé, qu'il organisait des bouquets spirituels de centaines de chapelets et de dizaines de
messes et de communions. Nous achetâmes cette
année-là un nombre impressionnant de Chinois. Le
Chinois coûtait à l'époque vingt-cinq cents pièce. Le
Frère Florent parlait avec tant de chaleur des pauvres petits Chinois abandonnés dans le ruisseau par
leurs mères dégénérées que les larmes nous venaient
aux yeux et les sous à la main. À l'arrière de la
classe une carte indiquait la progression des dons.
Chaque rangée formait une équipe rivalisant de
générosité pour la plus grande gloire de Dieu et le
plus grand profit de la Sainte Enfance. Le montant
requis atteint, le Frère nous remettait une photo d'un
bébé chinois, bleue pour les garçons, rose pour les
filles, dont nous devenions ainsi le parrain et au bas
de laquelle nous inscrivions le nom du nouveau
baptisé, nos dons censés servir aux missionnaires à
arracher ces enfants à une mort d'autant plus affreu-
se que païenne. Jamais nous ne nous demandions
si le Chinois sur la photo existait bien là-bas en

Chine et s'il portait effectivement le nom dont nous l'avions affublé. Cela ne faisait aucun doute pour nous, comme nous tenions pour éternelle la reconnaissance de notre filleul.

La visite occasionnelle de missionnaires de passage au pays après une absence de plusieurs années alimentait, s'il était besoin, notre crédulité et faisait redémarrer le flot des offrandes. Habillés de blanc, ils portaient la barbe, fait inusité à l'époque, et récitaient le Notre Père en chinois, en bantou ou en quelque autre dialecte dont nous ignorions tout. Nous étions nés pour être tondus et Dieu sait si ses prétendus pasteurs ne s'en privaient pas. Notre naïveté insondable était à la mesure de notre ignorance. Les voyages n'étaient pas encore organisés pour décanter le trop-plein d'agressivité des masses laborieuses. Qui avait voyagé en tirait un prestige certain. De la Chine nous ne connaissions que les buanderies aux devantures de bois peint en vert où nous apercevions, derrière une vitre embuée contre laquelle se tassaient frileusement des plantes en pot, d'impassibles Chinois aux yeux bridés repassant d'interminables lavages. Comment avait-on réussi à associer dans notre esprit ces êtres doux au peuple cruel et barbare décrit par le Frère Florent et ses semblables. Croyaient-ils les fadaises qu'ils nous débitaient? Le Frère Florent récitait sa leçon avec tant de ferveur. Jouait-il cette scène machiavélique à la perfection? Cette duplicité assumée étant certainement au-dessus de ses capacités, il était dupe comme nous, et depuis l'âge que nous avions, et il n'avait d'autre idéal que de nous entraîner à sa suite. Qui tirait les ficelles dans ce grand jeu de l'abrutissement collectif? Aucune voix dissidente ne s'élevait-elle? À cette époque, je n'en ai pas entendu. À moins qu'il n'eût fallu interpréter certains silences, ce qui était au-delà de notre entendement.

La propagande monta d'un cran l'année suivante lorsque nous sommes tombés sous la coupe du Frère Georges qui prit fougueusement la direction de nos âmes. S'inspirant de son saint patron qui avait terrassé le dragon, le Frère Georges prêcha toute l'année la croisade contre le communisme. Nous n'avions pas la plus petite idée de ce que ce mot signifiait, mais au dire du Frère Georges il était porteur des plus noires menaces. De lourds nuages s'amoncelaient au-dessus de nos têtes. Le feu du ciel fondrait bientôt sur nous comme sur Sodome et Gomorrhe. Selon certaines rumeurs, Pie XII n'avait-il pas soupiré « Pauvre Canada » en prenant connaissance du message de la Vierge à Fatima. Des hordes avides de sang déferleraient bientôt sur le pays, pénétreraient dans les écoles, décrocheraient le crucifix pendu dans toutes les classes, le jetteraient par terre et nous obligeraient à le fouler aux pieds en signe de reniement de notre foi. Le Frère Georges prophétisait ces sombres événements avec complaisance, voire avec une certaine délectation, fournissant force détails sur le martyre qui l'attendait, ceux qui l'entouraient aujourd'hui devant être les premiers, le moment venu, à lui planter un couteau dans le dos comme cela s'était vu dans d'autres pays. Le soir, glacés d'effroi dans nos draps, nous retournions le dilemme sur toutes ses faces en songeant aux joues roses de ce Dominique Savio que le Frère Georges nous citait en exemple.

Outre la chasse aux sorcières, le Frère Georges pratiquait aussi celle des papillons. Il exhibait fièrement sa collection d'insectes aux ailes savamment étalées sur des planchettes. À ceux à qui il réussissait à communiquer sa passion de collectionneur, il distribuait des bocaux contenant du cyanure de potassium dans lesquels enfermer les bestioles pour les faire mourir. Nous les manipulions avec beaucoup de crainte attendu qu'une parcelle de ce poison pouvait tuer un homme. Plus que jamais il était recommandé de se bien nettoyer les ongles au cas où ladite parcelle s'y serait logée. Était-ce vraiment du cyanure? Je n'en sais rien, n'en ayant pas vu depuis. Le produit en question avait couleur et odeur distinctes que j'identifierais sans peine encore aujourd'hui. En tout état de cause, les papillons avaient la vie dure et mettaient des heures à mourir, probablement plus par une lente asphyxie que par l'effet du poison virulent à la seule condition d'être avalé. Or, chez les papillons comme chez les humains, la captivité ne développe pas l'appétit. Nous ne tuions toutefois pas tous les insectes capturés, du moins pas tout de suite. Attraper les espèces les plus communes de papillons était relativement facile. Certaines autres, notamment les nocturnes, démontraient par contre beaucoup de réticence à venir compléter notre collection. Nous usions donc d'un stratagème. Si les papillons peuvent résister parfois avec succès à leur momification, les chenilles sont nettement plus vulnérables. Faute de pouvoir prendre le papillon, nous nous emparions de la chenille que nous savions, grâce aux dessins du Frère Georges, devoir se muer éventuellement en l'espèce de papillon manquante. Autant la première étape de l'opération était aisée, autant la seconde était aventureuse, qui consistait à enfermer ces chenilles dans des bocaux, ajourés et dépourvus de cyanure cette fois, à les nourrir de la plante qu'exigeait leur diète jusqu'à ce que, bien grasses, elles entreprennent de tisser leur cocon. Il n'y avait plus alors qu'à s'armer de patience pour, à la sortie de la chrysalide, faire passer le malheureux à la planchette d'exposition après un séjour plus ou moins long, selon le degré de collaboration du sujet, dans le bocal de cyanure. Le taux d'échec de cette méthode était malheureusement fort élevé. De nombreux spécimens mouraient de faim dans leur bocal faute de nourriture appropriée, d'autres séchaient dans leurs cocons pour des raisons inconnues. Quant aux plus coriaces qui s'adaptaient à leur vie de cobaye, le sort les attendant au sortir de la chrysalide était une piètre récompense pour leur ténacité.

Un incident commença de me faire sortir à mon tour de mon cocon. Malgré ses connaissances d'entomologiste, le Frère Georges m'était antipathique surtout depuis que, graphologue amateur, il s'était livré sur nos écritures à la recherche des traits marquants de nos caractères, nous communiquant le fruit de ses travaux avec suffisance. Sans comprendre ce que je ne pouvais saisir à cet âge, je détestais ses manières à la fois précieuses et despotiques. Mes résultats scolaires étaient bons néanmoins, chaque bulletin mensuel me confirmant dans ma position de premier de classe. Le Frère Georges fondait de grands espoirs en moi. Je le déçus cruellement. Voici comment. Nous rédigions notre composition hebdomadaire dans un cahier spécial. Se piquant d'une grande sensibilité littéraire, le Frère Georges attachait la plus haute importance à ces devoirs, témoignant de son appréciation des meilleurs travaux par des étoiles or, rouges ou bleues qu'il collait dans la marge. Mes rédactions méritaient souvent des étoiles d'or. La recette était simple. Il s'agissait de farcir la page de quelques mots rares et de construire la composition autour de ces trois ou quatre mots de façon à les mettre en valeur. Ébloui, le bon Frère tombait dans le panneau chaque fois. Une certaine semaine, il nous donne hypocritement comme sujet de devoir « Ma vocation », espérant obtenir par ce biais une confession en règle de chacun de nous. Je ne suis pas porté aux aveux. Je ne l'ai jamais été. Flairant le piège, je décidai de ne pas m'y laisser prendre. J'écrivis donc une composition où je déclarais être dans l'ignorance de ce que j'allais faire de ma vie mais que j'avais du moins nulle intention de devenir prêtre et encore moins son ersatz, frère. Le Frère Georges bondit sous l'outrage. Ma copie obtint la moins bonne note et fut vouée aux gémonies. Pour la première fois de l'année je n'étais pas le premier au bulletin mensuel. Je me raidis sous l'attaque. Le Frère me fit rester après la classe, me retint une longue heure, me sermonna. Je demeurais muet, apparemment insensible. En regardant son visage rougi par l'émotion, ses cheveux trop bien bouclés, ses lèvres trop bien dessinées, ses mains trop blanches, ses ongles trop bien faits, je percevais d'instinct une vérité au-dessus de mon âge, que cet homme privé d'affection m'accablait de la sienne dans l'espoir d'être payé de retour. Excédé, je mis fin à l'entretien qui avait déjà trop duré en claquant la porte de la classe, emportant avec moi la certitude d'avoir gagné la partie. Il dut regretter son geste car il ne s'en vanta pas. L'année tirant à sa fin, nous observâmes une trêve, évitant tacitement de nous adresser la parole.

En septembre suivant, j'accédais enfin en septième année, la classe terminale de l'école et pour cette raison la plus désirée à cause du prestige rejaillissant sur ses membres. Il y avait cependant un os. Une solide réputation précédait le titulaire de la septième, le Frère Germain. Toute l'école en avait une sainte peur. Il incarnait l'autorité intransigeante beaucoup mieux que le directeur en titre, le Frère Clément, le bien nommé, dont le regard absent de carpe derrière d'épaisses lunettes n'inspirait de crainte à personne. Le Frère Germain était, le titre en moins, le préfet de discipline de l'école. Il avait d'ailleurs le physique de l'emploi. Sa haute taille, sa carrure d'athlète, son visage plein, son teint frais, ses cheveux blonds et ses yeux bleus le distinguaient immédiatement du morne troupeau de ses collègues. Il respirait la santé comme les autres la maladie. Si le Frère Florent était malingre mais sincère, le Frère Georges maniéré et secret, le Frère Germain était bâti d'une seule pièce, tranchant tout avec autorité, emporté, violent mais généreux et, sous le masque, sensible, devant sans doute se faire violence pour afficher à dessein cet extérieur rude. Homme actif, il avait l'oisiveté en horreur. Si jamais il ne médit de ses confrères, jamais non plus ne colla-t-il d'étoiles dans nos cahiers ni ne nous incita-t-il à la chasse aux papillons.

Il privilégiait les activités corporelles. Si pour la plupart de ses collègues le corps n'existait pas ou n'était qu'un objet de honte inavouée, lui le tenait en haute estime comme un muscle à entraîner et à dompter. Du juvénat dont s'inspiraient les classes de cinquième et sixième, nous passâmes sans transition à l'académie militaire. Une fois la semaine nous tenions une séance d'éducation physique bien spéciale. Le Frère Germain n'était pas particulièrement friand des mouvements gracieux de la gymnastique pratiquée dans les classes inférieures qu'il jugeait trop proches de la danse. Le ballet ne trouvait pas en lui un adepte enthousiaste. Il se représentait sans doute le plus grand pécheur sous les traits d'un efféminé. Plusieurs de ses confrères n'étaient-ils pas de vivants exemples de la rapidité avec laquelle le mal se propageait surtout, semblait-il, dans les communautés religieuses? Il avait résolu de contrer l'épidémie en versant dans l'extrême opposé. Le corps était une brute qu'il fallait mater par la volonté. Toute l'année, revint comme un leitmotiv le « Il faut exercer sa volonté » écrit en rouge, bleu et blanc sur le tableau noir à l'avant de la classe. En lieu et place de la gymnastique suédoise et justement pour discipliner notre corps, le Frère Germain nous faisait défiler en d'interminables marches militaires. Nous tournions inlassablement autour de la grande salle en belles rangées bien droites au rythme de la musique de John Philip Sousa dont notre sergent de titulaire s'était procuré quelques disques. Notre américanisation, couplée à la sinophobie corrosive de cinquième et à l'anticommunisme militant de sixième, commençait en bas âge et était d'autant plus efficace qu'elle se cachait sous le couvert de la religion et de la morale, toute référence à la politique apparemment évacuée. Nos maîtres, aussi bernés que nous l'étions, étaient vraisemblablement inconscients de la portée de leurs actes encore que leur penchant très accusé pour la dictature révélât leur état d'esprit. Si mes aînés d'une dizaine ou d'une quinzaine d'années se souviennent de l'estime dans laquelle étaient tenus ici avant la guerre ces dragons de vertu ayant nom Hitler et Mussolini, je me souviens quant à moi que les modèles de chefs d'État dont on nous parlait au début des années 50 s'appelaient Franco et Salazar. En un sens on avait raison, le Québec duplessiste n'étant pas sans affinités avec les sociétés médiévales de l'Espagne et du Portugal d'alors. Aux yeux de nos professeurs, le véritable héros était cependant un certain Garcia Moreno, dictateur de l'Équateur ayant institué une théocratie, dictature divine par personne interposée, où seuls avaient droit de vote les catholiques, réalisant ainsi l'idéal qu'appelait de ses vœux l'appareil clérical québécois. Ainsi chaque jeudi défilions-nous au son de la musique militaire. Un jour que nous reprenions une manœuvre plusieurs fois ratée — il s'agissait pour nous, disposés en file indienne, de tourner à angle parfaitement droit sous le regard sévère du Frère Germain posté à l'endroit stratégique, les poings sur les hanches — l'un de nous, malingre, tirant toujours de l'aile et pour cette raison souffre-douleur de la classe, décri-

vit un arc de cercle au lieu de l'angle droit attendu. Si le Frère Germain avait un cœur d'or, il le
cachait bien, pratiquant la politique de la main de
velours dans un gant de fer. Clac! Sa grande main
péta sur la joue rose du coupable qui prit son envol
et alla brutalement atterrir quelques pieds plus loin.
Avant qu'il n'eût repris ses esprits, il était remis dans
le rang d'une poigne énergique et, plus mort que
vif, reprenait l'exercice un moment interrompu. Le
lendemain, toute l'école pouvait constater *de visu*
sur la figure du malheureux l'empreinte encore bien
distincte des cinq doigts du Frère Germain. Ainsi
son autorité se propageait-elle jusqu'aux marches de
l'empire.

Non seulement le Frère Germain se distinguait-
il de ses semblables par son physique, mais encore
possédait-il une qualité dont les autres étaient à peu
près dépourvus et qu'il éleva à un tel degré de perfection que je n'hésite pas à la désigner comme le
génie de l'organisation. Il savait que la maîtrise des
choses célestes présuppose la gouverne des affaires
terrestres. Il s'employa donc à encadrer nos pratiques religieuses. Son côté germanique trouvait là
une nouvelle occasion de s'épanouir. Dès le début
de l'année, il battit campagne en faveur des Croisés,
véritables soldats du Christ. Chacun était libre
d'adhérer ou non au mouvement. Néanmoins personne n'envisagea sérieusement de ne pas s'y inscrire, tant faisaient frémir les conséquences d'une
pareille dissidence. La classe était peu après divisée
en équipes ayant chacune à leur tête un chef choisi
d'ordinaire en fonction de ses succès scolaires. Ces
chefs, dont j'étais forcément, formaient le grand con-
seil sous la présidence de vous savez qui. La devise
des Croisés s'exprimait en quatre cris de ralliement:
« Prie! Communie! Sacrifie-toi! Sois apôtre! » Pour
se démarquer du commun, ils arboraient un foulard

rouge et blanc pendant en pointe dans le cou et s'attachant sur le devant par un fermoir marqué aux armes du Christ. Ils se signalaient en outre par leur fréquentation assidue aux messes matinales et par leur faim jamais assouvie du pain eucharistique. Cette année-là, je me souviens n'avoir pas raté une seule messe d'un carême de quarante jours, non plus que celles de neuf premiers vendredis du mois consécutifs assurant, selon la promesse imprudente faite par Jésus à sainte Marguerite Marie Alacoque à qui il était apparu, une place en paradis. C'était en vérité une bonne affaire. Neuf matins à se lever un peu plus tôt que d'habitude garantissaient le salut éternel. Doutant fort de jamais retrouver marché aussi avantageux, je sautai sur l'occasion. Grand bien m'en fit car aujourd'hui je coule paisiblement une vie de mécréant et ce n'est pas sans un juste sentiment de sécurité que le matin, du fond de mon lit douillet, j'entends parfois d'une oreille endormie sonner les cloches appelant des fidèles n'ayant pas eu dans leur jeune temps ma sage prévoyance. Avec Dieu ne convient-il pas d'être toujours un peu Juif?

En certaines circonstances la ruse n'était cependant d'aucun secours. L'affaire de la statue en offre un bel exemple. Toujours à l'affût des moindres occasions de galvaniser nos énergies religieuses, le Frère Germain avait imaginé un nouveau moyen d'émulation. Il avait fabriqué une boîte en bois avec un couvercle retenu par un crochet lorsque fermée et, pour l'ouvrir, pivotant grâce à un jeu de charnières. Ouverte, ladite boîte se transformait en une niche vitrée dans laquelle se dressait une statue de la Vierge entourée de petites ampoules colorées s'illuminant lorsque branchées. Avaient l'insigne honneur d'apporter la statue à la maison pour une soirée de prières ceux d'entre nous s'étant signalés par un quelconque fait d'armes. Je compris tout de suite que j'étais coincé. Je ne voulais sous aucun prétexte transporter ce lourd fardeau de l'école à la maison, aller retour, et en cours de route me faire traiter de tous les noms avec ma statue électrique. Et, à la maison, que faire de cette statue devant laquelle le Frère nous enjoignait de réciter le chapelet en famille, et à genoux encore, chose que nous n'avons pour ainsi dire jamais faite? Pour retarder le plus possible l'échéance, je m'efforçais de me distinguer le moins possible, mais, premier de classe et chef croisé, je devais veiller à ne pas trop ne pas me signaler. Fatalement, un soir ce fut mon tour de prendre livraison du précieux colis. La chose se passa mieux que je ne l'avais prévue. Une fois arrivé à la maison sans encombre, j'ouvris l'écrin, branchai, regardai quelques instants, débranchai, refermai. Ce soir-là l'apparition fut brève. Je rapportai l'objet consciencieusement le lendemain.

Toujours sur la brèche, le Frère Germain menait le bon combat sur tous les fronts à la fois, rappelant continuellement aux apôtres que nous avions juré d'être le soir du prononcé de nos vœux que notre conscience ne pouvait dormir en paix tant qu'il y aurait des pauvres dans la paroisse. Cette race est prolifique. Le hasard servit les desseins du Frère, du moins le crut-il. Depuis quelque temps, une petite vieille, la tête enveloppée d'un fichu, une jupe sale lui traînant sur les talons, se promenait dans le quartier en poussant devant elle un lourd tombereau où s'entassaient les objets les plus hétéroclites. Elle ramassait tout, s'arrêtant devant les poubelles, farfouillant là-dedans, faisant son profit de vieux journaux comme de chiffons maculés. Touchant tableau qui émut notre pitié et stimula notre générosité. Le Frère Germain organise derechef une collecte pour secourir cette pauvresse, sans doute une étrangère, nous avions convenu de ses origines slaves, délaissée et réduite à l'extrémité que nous constations pour ne pas mourir de faim. La recette dépassa toutes les prévisions. Restait la tâche délicate d'acheminer nos dons à la destinataire. Le Frère Germain décida de remettre l'argent recueilli à Monsieur le Curé qui se chargerait de cette mission. Ainsi serait respectée la fierté de la pauvresse, les pauvres ayant leur amour-propre comme les autres humains, ce que nous acceptâmes sans discussion. Notre geste tirerait en outre de son anonymat un mérite plus vif encore, attirant le regard satisfait du Tout-Puissant sur ses zélés troupiers. L'affaire en resta là jusqu'au jour où l'un d'entre nous fit une révélation qui consterna tout le monde, le Frère Germain le premier. La veille, nous raconta-t-il encore estomaqué, comme il était à la maison, une femme, la tête recouverte d'un fichu et qu'il reconnaissait comme celle dont la pauvreté si manifeste nous avait remués, avait sonné à leur porte. C'était la propriétaire collectant ses loyers. Ayant reçu plusieurs beaux billets des mains de sa mère, elle les enfouit dans la poche de sa jupe lui traînant sur les talons, puis disparut. Nous apprîmes par la suite qu'elle possédait plusieurs autres maisons dans les environs et que les parents de trois d'entre nous étaient ses locataires. Ce fut la dernière quête du genre, le Frère Germain méditant sans doute sur cette vérité dont sa propre communauté lui offrait pourtant des exemples éloquents: l'habit ne fait pas le moine.

La religion offrait par ailleurs d'agréables compensations. Notre paroisse vivait encore une vie paisible. Le vent de mégalomanie qui avait opposé des paroisses voisines en adversaires féroces, chacune rivalisant pour ériger l'église la plus luxueuse, n'avait pas encore soufflé de notre côté. Une petite chapelle en bois, coiffée d'un frêle clocher, tenait lieu d'église. Le dimanche, le trop-plein des fidèles débordait sur le perron. En semaine, aux messes matinales, vingt personnes donnaient l'illusion de la foule. Dans sa simplicité et son exiguïté, cette chapelle possédait la chaleur faisant si cruellement défaut aux deux cavernes lugubres que j'avais connues auparavant. Sa taille était humaine, le chœur minuscule faisant corps avec la nef à peine plus grande. L'officiant évoluait quasi au milieu des fidèles, s'adressant à eux sans microphone, les touchant pratiquement du bras allongé. Monsieur le Curé était à l'image de sa chapelle. Homme simple, d'une grande bonté, fort bien de sa personne, ses cheveux blancs lui donnant l'air auguste d'un patriarche, ses yeux bleus très doux, sa peau rosée de vieillard en santé, l'eau de Cologne dont il s'aspergeait généreusement, tout cela nous le rendit sympathique au premier contact. Sa voix puissante et mélodieuse nous rendait agréable le latin à nous qui n'y comprenions goutte. Raffolant des cérémonies, il apportait un grand soin à sa garde-robe liturgique où voisinaient les surplis finement brodés, les étoles, les chasubles et les chapes aux couleurs variées, les vertes, les rouges, les violettes, les noires, la rose rarement utilisée. Lorsque le vent de folie atteignit notre paroisse et qu'une église moderne fut construite, chapelle et curé disparurent ensemble. Curieusement, quelques années plus tard, les fidèles aussi disparaîtraient. Seul demeurerait le dinosaure de béton.

Être enfant de chœur était un poste envié, l'idéal avoué de la plupart d'entre nous, une véritable promotion sociale dans le petit monde de notre école. Ne le devenait cependant pas qui voulait. Il fallait être choisi. Et c'est le Frère Germain qui choisissait. Il avait en effet un pied à l'école et l'autre à l'église. Les deux bâtisses se faisant face, sa tâche s'en trouvait d'autant facilitée. Monsieur le Curé se reposait aveuglément sur lui pour le recrutement, l'entraînement et l'encadrement des enfants de chœur. Avec sa nature douce, friande d'encens et de cérémonies, Monsieur le Curé n'aurait jamais pu imposer son autorité à une troupe indisciplinée de jeunes servants de messe à qui il fallait inspirer le désir de se faire couper en quatre plutôt que de rater son tour de service à l'une ou l'autre des messes matinales en semaine. Heureusement pour la paroisse, le Frère Germain veillait au grain. Il nous faisait répéter les répons en latin bien que je doute qu'il ait jamais compris quelque chose à cet idiome. La traduction de ces répons ne nous fut en tout cas jamais donnée, l'important n'étant d'ailleurs pas de comprendre mais de répéter correctement. Leur mémorisation conférait à celui qui réussissait l'exploit un grand prestige auprès de ses camarades. C'était d'ailleurs là la principale fonction du latin. Cela se passait, bien sûr, avant le dernier concile qui a commis l'erreur d'autoriser l'usage des langues vernaculaires dans les cérémonies religieuses, faisant ainsi bon marché d'une expérience du pouvoir remontant à plusieurs siècles. Pour régenter les âmes, il faut dominer les corps. Depuis quand les belles idées gouvernent-elles le monde? L'Église contemporaine a cru devoir son apparente pérennité à l'élévation de la pensée chrétienne plutôt qu'à sa remarquable organisation temporelle. Grave erreur. Lorsqu'elle thésaurisait en même temps qu'elle encourageait les fidèles au dépouillement, l'Église ne faisait que se conformer au précepte évangélique demandant à la main droite d'ignorer ce que fait la gauche. Le Christ n'a tout de même pas choisi la citoyenneté juive par hasard, ni l'Église Rome pour y établir son siège social, la primauté économique et politique donnant quelque avenir à une pensée dont autrement personne ne parlerait plus depuis longtemps. Les idées qui mènent le monde ont de tout temps été celles des plus riches et donc des plus forts. En reléguant le latin aux oubliettes sous prétexte qu'il était incompris des fidèles, l'Église s'est fait hara-kiri. Le latin devait être au contraire conservé pour la raison précise qu'il était incompris des fidèles. La domination de gens pénétrés au point de départ de leur infériorité et de leur culpabilité est aisée. Quel meilleur moyen pour atteindre ce but que de s'adresser à eux dans un langage incompréhensible dont on leur présente l'intelligence comme accessible aux seuls esprits les plus brillants heureusement chargés de les diriger? L'usage exclusif du latin tuait dans l'œuf toute contestation, toute remise en question de la doctrine officielle. Les fidèles ne pouvant la comprendre, comment auraient-ils pu la discuter? Leur ignorance formait en outre un terrain propice à la croissance d'une admiration béate à l'endroit de leurs pasteurs qui avaient vaincu l'hydre à leur place. L'Église s'est depuis réveillée, un peu tard cependant, ne pouvant que constater qu'elle est désormais gros Jean comme XXIII.

La mémorisation des répons en latin et l'apprentissage des gestes commandés par le rite nous introduisaient ainsi dans les coulisses du pouvoir. Entre nous, les initiés, et la plèbe, se creusait un fossé. Nous avions nos entrées à l'église paroissiale, à la sacristie notamment. Elle était constituée de deux pièces aussi exiguës l'une que l'autre, disposées de chaque côté du chœur. Un couloir peu éclairé contournait l'arrière du chœur reliant les deux pièces et permettait, par le moyen d'un second couloir perpendiculaire au premier, de communiquer avec le petit presbytère appuyé sur l'abside. La cuisine occupant le rez-de-chaussée du presbytère, des odeurs de café, de rôties, de bacon flottaient toujours dans les couloirs et la sacristie, supplice pire que celui de Tantale pour de jeunes estomacs à jeun. Le dimanche, après la cérémonie, la cuisinière nous offrait parfois un morceau de gâteau ou une pointe de tarte qu'elle avait préparés pour Monsieur le Curé et ses invités. Nous avions par ailleurs le recours de vider la burette de son vin à la fin de la messe, s'il en restait bien sûr, ce qui n'arrivait pas quand Monsieur le Curé officiait: il réclamait jusqu'à la dernière goutte de vin en agitant vigoureusement le calice qu'il nous tendait pendant la messe, nous abandonnant par contre toute l'eau dont nous ne voulions pas.

À l'intérieur de la troupe anonyme des enfants de chœur existait une brigade d'élite, l'escadron de la mort. Nous étions quatre. J'en faisais partie à titre de porte-flambeau. Un cérémoniaire, un thuriféraire et un second porte-flambeau complétaient le quatuor. Nous étions affectés aux cérémonies spéciales, messes de mariage, offices des Jours Saints, messes des morts surtout. Nous faisions des jaloux. Tous savaient qu'aux messes de mariage du samedi matin nous touchions parfois de généreux pourboires, vingt-cinq cents chacun. Ce n'était rien toutefois en regard des bénéfices que nous soutirions par notre présence aux funérailles. Elles avaient lieu la plupart du temps en semaine, mais à neuf heures. Nous étions par le fait même exemptés d'une heure et plus de classe en chaque circonstance. De quels regards envieux étions-nous mitraillés lorsque nous entrions triomphalement vers les dix heures cinq, dix heures dix, juste à temps pour ne pas rater la récréation de dix heures quart! Ces funérailles étaient souvent l'occasion de parties de plaisir. Le chœur était à l'échelle de la chapelle: minuscule. Pour une messe basse, cela allait toujours. Lors des grandes cérémonies, telles les messes des morts souvent célé-

brées avec diacre et sous-diacre, sept personnes
s'affairaient dans cet espace restreint, huit avec le
porte-croix lorsque ses services étaient requis, et
neuf avec le sacristain qui venait faire son tour sous
quelque prétexte. Nous nous marchions sur les
pieds, ou plutôt sur les soutanes qui, trop longues,
balayaient le plancher. Les fidèles étaient sur nos
talons, éloignés de nous d'à peine quelques pieds.
Dangereuse promiscuité qui provoqua un jour presque un scandale. Les assistants, surtout les proches
parents du défunt dans les premiers bancs, pleu-
raient bruyamment, reniflaient, se mouchaient tout
au long de la cérémonie. Cette effusion sans retenue
aucune d'une douleur vraie entraîna de notre part
la réaction opposée. Un fou rire incontrôlable s'em-
para de nous, notre rire augmentant en proportion
des pleurs. À la fin nous éclations, la main sur la
bouche. Nous sortions à tour de rôle, gagnant préci-
pitamment la sacristie, le temps de nous refaire tant
bien que mal une mine d'enterrement. Comme je
mettais le cap à mon tour sur la sacristie, les épaules secouées par le rire mais les mains jointes pieu-
sement, je manœuvre mal aux abords de la cré-
dence sur laquelle reposaient le bénitier et le goupillon servant à l'aspersion de la bière lors du libera.
Sans m'en apercevoir, j'emporte dans ma fuite le
bénitier happé au passage par mon surplis trop ample pendant sous mon coude. Je complétai ma sortie
comme si de rien n'était, recueilli comme jamais,
étranger au monde. Le bénitier, en tombant, fit un
joli vacarme, l'eau bénite se répandit sur le tapis, le
goupillon roula au milieu du chœur. Mes compagnons pouffèrent parmi les sanglots de la nef. Les
célébrants se retournèrent, ahuris, les yeux enflam-
més d'indignation. Lorsque la chose lui fut rappor-
tée, le Frère Germain piqua une sainte colère, vivan-
te illustration du *Dies irae*. La semaine suivante
néanmoins, nous étions à nouveau au poste, aucun

autre servant ne sachant les répons de la messe des morts.

D'autres incidents mirent à rude épreuve les nerfs du Frère Germain qui dut même successivement affronter le feu et l'eau comme si tous les éléments s'étaient ligués contre lui. Dans certaines cérémonies, un ou deux autres servants s'ajoutaient à notre quatuor. Ce jour-là, s'était joint à nous dans la fonction de porte-croix, Choinière, l'un des plus grands de la classe, et qui devait sans doute à sa taille d'avoir été sélectionné: lui au moins, avait pensé le Frère dans sa sagesse, ne risquerait pas d'être emporté par le poids de la croix fichée au bout d'une hampe. L'idée n'était pas mauvaise. Elle faillit cependant être source d'un drame. Peu habitué aux cérémonies religieuses, celle-ci constituant en quelque sorte son baptême, Choinière était étranglé de nervosité dans les coulisses de la sacristie. Avant d'entrer en scène, il nous avoua n'avoir pu déjeuner tellement il avait l'estomac en boule. Les choses semblaient toutefois se bien dérouler: il ne s'enfargea pas dans sa soutane ni ne fracassa la lampe du sanctuaire avec sa croix qu'il manipulait comme une hallebarde. La cérémonie avançait. Au milieu du chœur, dos à la foule, Choinière était flanqué des deux porte-flambeaux, Chamard à gauche, moi à droite. Devant nous, le thuriféraire tenait l'encensoir chargé à bloc. Nous étions tous au garde-à-vous, attentifs à ne pas osciller comme nous l'avait déjà reproché le Frère Germain qui justement nous observait par la porte entrebâillée de la sacristie. Tout à coup le sol se met à trembler. M'efforçant de comprendre ce qui arrive, je concentre toutes mes énergies à ne pas bouger et à regarder droit devant moi. Une seconde plus tard, Choinière traverse en diagonale mon champ de vision et s'abat par terre de tout son long, et ce long était grand puisque prolongé de la croix. Il venait de perdre connaissance, n'ayant pu résister plus longtemps aux assauts conjugués de la nervosité, de la chaleur, de la faim et de l'encens dont l'odeur empestait. En tombant, le porte-croix entraîna dans sa chute le thuriféraire. L'encensoir chauffé à blanc et fumant de tous ses orifices répandit son contenu sur le tapis qui prit feu aussitôt. Avant que célébrants et enfants de chœur ne soient revenus de leur surprise, le Frère Germain fait irruption dans le chœur et, pompier improvisé, écrase l'incendie naissant à coups de pieds saccadés qui, en d'autres circonstances, eussent pu être empruntés à une danse de la pluie. Les flammes maîtrisées, il empoigne par le col de sa soutane le Choinière gisant et le toue jusqu'à la sacristie où, la porte encore ouverte, il le soulève et le lance sur une chaise tout en lui martelant les deux joues de la main droite en un furieux aller-retour rythmé par une question insistante: « Qu'est-ce que t'as mangé à matin? » Lorsque finalement Choinière refit surface et répondit « Rien », il eut droit à une nouvelle ration de claques. On ne le revit plus jamais chez les enfants de chœur. Il avait ce jour-là suffisamment porté sa croix.

Après le feu, ce fut l'eau, dont le secours aurait pourtant été apprécié dans l'affaire Choinière mais qui arriva en un autre moment, à son heure, comme une inondation. La paroisse grossissant rapidement, la petite chapelle ne suffisait plus à abriter le flot des fidèles lors des offices religieux du temps pascal notamment. On eut alors l'idée d'utiliser la grande salle de l'école qui, disposant d'une scène beaucoup plus vaste que le chœur de la chapelle, permettrait au culte de se déployer dans toute sa splendeur. L'absence de tapis, le sol étant recouvert de terrazzo, assurait en outre que ne se répéterait pas le début d'incendie que tous avaient encore frais à la mémoire. L'office du Samedi Saint au soir exigeait la présence sur scène d'un assez gros contenant rempli d'eau devant être bénite en cours de cérémonie. Pour satisfaire aux exigences de cet acte de la liturgie nouvelle, du moins dans notre paroisse, le Frère Germain à qui Monsieur le Curé avait confié l'organisation matérielle de la cérémonie s'était mis en quête d'un contenant qui, bien que d'origine profane, puisse se montrer digne d'un rôle sacré. Il avait réquisitionné une cuve qui, repeinte, n'avait rien coûté à la fabrique et à la rigueur pouvait convenir. La cuve remplie d'eau, la cérémonie s'engagea. Rapidement toutefois, la cuve se mit à faire des siennes. Ce n'était pas une cuve mais une passoire. De son fond probablement rouillé en de multiples endroits, de l'eau s'échappait, goutte à goutte tout d'abord, puis formant une mare, qui allait s'élargissant, qui se déplaçait, roulant sur la surface lisse du terrazzo. Aucun tapis n'absorbant le liquide impie, officiants et servants pataugèrent bientôt dans l'eau, mouillant chasubles et soutanes. La séance du lavement des pieds avait pourtant eu lieu deux jours plus tôt. Le Frère Germain dut se résigner à une seconde entrée en scène en quelques semaines mais cette fois moins glorieuse, la vadrouille à la main et halant le baquet-essoreur du concierge de l'école. En le regardant assécher le sol à grands coups furieux de vadrouille, certains fidèles se demandaient si la nouvelle liturgie n'avait pas trouvé ce moyen ingénieux de renouer avec la vieille tradition de l'eau de Pâques.

Autre souvenir heureux qui surnage au milieu d'une Semaine Sainte déprimante, la visite des sept églises. Le Jeudi Saint, célébration de l'Eucharistie, toute église qui se respectait transformait l'un de ses autels latéraux en un reposoir où était exposé le Saint-Sacrement dans une avalanche de fleurs et de lampions multicolores. On se serait cru dans un salon mortuaire, chose inexplicable le Christ ne devant être mis à mort que le lendemain. Un nouveau mystère sans doute! Des paroisses rivalisaient pour l'obtention de la palme imaginaire décernée au plus beau reposoir. Certaines jouissaient d'une réputation assise sur des décennies de débauche florale. Laquelle attirerait le plus de visiteurs? Je m'étonne que personne à l'époque n'ait songé à installer des tourniquets à la porte des églises, ce qui aurait permis de déterminer la gagnante avec une rigueur toute mathématique. Cette émulation se fondait sur une promesse faite (par qui? où? en quelles circonstances? je l'ignore) à tous ceux qui visiteraient en ce jour sept églises différentes pour faire dévotion au Saint-Sacrement d'une indulgence plénière, remise totale et entière des jours de purgatoire accumulés dans le compte d'un chacun. Dire que l'on a prétendu que, comme peuple, nous n'entendions rien au négoce et aux affaires! Mais nous en sucions la substantifique moelle dès le berceau! Le Dieu canadien-français était épicier et comptable, affairé toute la journée à tenir ses grands livres à jour, à compléter ses inventaires, à réaliser cet exploit surhumain de la comptabilité des âmes. Commettait-on un péché véniel que, selon la gravité de la faute, s'additionnaient au solde de notre compte dix, vingt, trente jours de purgatoire. Récitait-on quelque formule magique à laquelle étaient attachées des indulgences, qu'il fallait soustraire du solde le nombre de jours de purgatoire équivalents. Si les indulgences étaient quantifiées de façon précise, trois cents jours par exemple, il n'existait pas de tableau où le pécheur consciencieux pouvait noter à chaque faute commise le nombre de jours de purgatoire à inscrire à son débit, en sorte qu'il lui était impossible d'obtenir jamais un bilan clair, avec actif, passif et solde. Comme le péché mortel équivalait à la banqueroute,

le coupable déclaré non solvable et forcé de quitter
la corporation qui l'excommuniait, les indulgences
plénières représentaient l'exact contraire, l'occasion
inespérée de ramener avec certitude le solde à zéro,
ce qui était le meilleur résultat accessible, un actif
excédentaire étant chose hors de portée des plus
grands saints, *a fortiori* du commun des mortels.
La visite des sept églises le Jeudi Saint était ainsi
l'occasion pour plusieurs pécheurs de se refaire une
virginité.

Visiter sept églises, cela n'est rien aujourd'hui,
encore qu'au rythme où on les démolit la chose est
en passe de redevenir un exploit, mais c'était alors
une véritable équipée d'autant plus que ma grand-
mère qui m'a piloté à quelques reprises dans ces
rallyes choisissait « ses églises » très distantes les
unes des autres. Toute la journée y passait. Nous
arpentions la ville d'un bout à l'autre, en tramway,
en autobus, à pied, consacrant beaucoup plus de
temps au voyagement qu'à la dévotion proprement
dite, simple halte, l'œil sur la montre, entre deux
églises. Ces nombreux déplacements en une seule
journée m'enchantaient. Nous sautions de quartier
en quartier comme de pays en pays. Invariablement,
notre pèlerinage s'achevait rue Sainte-Catherine où
nous attendaient patiemment de part et d'autre de la
rue les sixième et septième églises de la liste, l'église Saint-Jacques et la chapelle Notre-Dame de Lour-
des. Après quoi, complètement fourbus mais avec le
sentiment de la mission accomplie, nous retraver-
sions la ville en tramway et rentrions à la maison.
Jusqu'à un âge avancé ma grand-mère visita annuellement « ses » sept églises, ne voulant rien entendre
de ceux qui se contentaient d'entrer dans la même
église et d'en sortir sept fois. « Ça ne compte pas »
disait-elle. Et ce n'est pas moi qui l'aurais contre-
dite là-dessus, trop heureux de voir du pays.

Malgré cette agréable odyssée du Jeudi Saint, les cérémonies de la Semaine Sainte m'étaient un véritable calvaire. Nos premiers jours de liberté depuis des mois étaient irrémédiablement gâchés par des cérémonies démentiellement longues et nombreuses. Depuis le début de septembre, nous étions astreints à un régime implacable: école du lundi au vendredi de huit heures trente à quatre heures, retour à la maison, devoirs, souper, leçons, dodo. Après une brève interruption de deux semaines pour la Noël et le Nouvel An, vacances terminées sitôt commencées, trois autres mois du même régime. Aussi lorgnait-on depuis longtemps la petite semaine de congé débutant le Mercredi Saint au soir et se terminant le Mardi de Pâques au matin. C'était peu mais c'était tout ce que nous aurions à nous mettre sous la dent avant les grandes vacances qui ne s'amorceraient qu'à la Saint-Jean. Il ne fallait donc pas rater notre coup. D'autant que, début avril, des signes infaillibles indiquaient que le printemps se montrait le bout du nez: les journées allongeaient, le soleil se réchauffait, la neige avait presque disparu, les bourgeons gonflaient, bâtons, balles et gants de baseball sortaient de leur hibernation. Comme tout aurait été merveilleux sans ces maudites cérémonies! Dieu que je les détestais! Dans un pays où il fait froid six mois sur douze et où il pleut la moitié des six autres mois, il faut être piqué pour s'encabaner les quelques rares jours où il fait bon dehors. Pendant qu'à l'extérieur la lumière ruisselait et que tout embaumait, il fallait s'entasser pour assister le Jeudi Saint à la cérémonie du lavement des pieds, le Vendredi Saint à un office funèbre qui n'en finissait plus de finir, assis, debout, à genoux, à genoux surtout, « *Flectamus genua —* *Levâââte* », suivi du chemin de la Croix pour s'assurer de notre écœurement maximum, enfin, le Samedi Saint avec la nouvelle liturgie, une invraisemblable cérémonie le soir, à laquelle personne ne comprenait rien, encore moins nous, les servants, jouant notre rôle comme des automates, et couronnée à minuit par la messe de Pâques. Ne nous restait, le dimanche avalé par l'inévitable réunion de famille, que le lundi pour jouer... quand il ne pleuvait pas. À plus de vingt-cinq ans de distance, je n'ai pas décoléré.

Quelques semaines plus tard, la Fête-Dieu pointait au milieu du mois de mai comme une épine sur une rose, ré-édition du coup de la Semaine Sainte. Plutôt qu'à Dieu, c'est à nous une fois encore qu'on faisait la fête. Depuis la fin avril où les horloges avaient été réglées à l'heure avancée, les jours avaient allongé brusquement. Nous jouions à la balle après le souper par beau temps quand nous n'étions pas ensevelis sous les devoirs. Aucun soir à gaspiller donc. Immanquablement, le soir de la Fête-Dieu il faisait beau, signe, nous affirmait-on, que Dieu contemplait d'un œil favorable cette démonstration de piété collective. Aurait-il plu que l'on nous aurait servi l'autre discours tout prêt, que Dieu désirait par les éléments contraires éprouver la foi de ceux qui se prétendaient ses fidèles. Bref, nous étions cernés, aucune excuse ne pouvant nous soustraire à la pénible obligation de nous joindre au troupeau. Même jeune, je n'avais pas la piété très développée. Encore moins ai-je jamais manifesté quelque penchant pour toute forme de regroupement. Le soir de la Fête-Dieu, rendez-vous de bonnes âmes, je n'étais donc pas précisément à la fête. Défiler dans les rues en chantonnant des cantiques, en ânonnant les réponses aux invocations, en marmonnant des chapelets m'était un supplice. Tout cela au milieu d'un grand concours de drapeaux, les armoiries papales jaunes et blanches voisinant l'Union Jack bleu et rouge, d'encens, de fleurs, de costumes et de bande-

roles par lesquels se distinguait chacune des congré-
gations de la paroisse. Et tout ce monde marchait en
se traînant les pieds jusqu'au clou de la fête, le reposoir érigé devant la maison d'un notable par
ailleurs marguillier. Encore si nous avions pu, à la
faveur de cette foire religieuse, nous rapprocher des
petites filles parées de leurs plus beaux atours.
Chose impossible cependant, le mélange des sexes
n'étant pas permis selon une tradition remontant aux
corporations médiévales. Les jeunes filles suivies de
leurs mères ouvraient le cortège, les garçons et leurs
pères le fermaient. Au centre, frontière infranchis-
sable entre les sexes, le dais sous lequel avançait
l'ostensoir au milieu des chapes d'or. Les petites
filles nous précédaient ainsi de plusieurs coins de
rue et ce n'est qu'au reposoir autour duquel les différents groupes se pressaient, défaisant la belle ordon-
nance du défilé, que nous pouvions les apercevoir
d'un peu plus près. Nous aurions peut-être même
poussé l'audace jusqu'à leur parler si, profitant de la
confusion, nous n'avions pas pris la clé des champs.

Le Frère Germain savait en d'autres circonstances nous dorer la pilule. Naturellement pieux lui-
même, il comprenait cependant que la prière n'a rien
d'attrayant pour de petits bonshommes n'ayant que
le jeu en tête. Bien que dépourvu des connaissances
entomologiques du Frère Georges, il savait que c'est
avec du miel que l'on prend les mouches. Il imagina
donc un système aussi simple qu'efficace où jeu et
prière se trouvaient indissociablement liés. Lui-
même pratiquait tous les sports. Au hockey, sa taille,
sa force, sa soutane (car il jouait en soutane) qui
bloquait tous les lancers en faisaient un arrière
redouté. Sa présence dans un camp assurait la victoire presque automatiquement. Il était en outre le
plus habile arroseur de patinoire que j'aie vu. Et le
plus sérieux aussi. Dès les premiers vrais froids en

novembre, il passait plusieurs jours et plusieurs nuits à arroser la patinoire de deux heures en deux heures, maniant avec art le gros boyau de pompier. Plus il faisait froid, plus les séances d'arrosage étaient rapprochées. Après une semaine de ce régime, une glace épaisse, lisse, invitante déclenchait dans toute l'école la fièvre du hockey. Rusé, le Frère Germain gardait toujours à l'esprit sa mission apostolique. Depuis le début de l'année scolaire, il prêchait la croisade du chapelet avec son Éminence à la radio. Les exhortations se succédaient avec la régularité des vagues sur une plage. Le Frère n'était pas sans s'apercevoir, à plusieurs indices, qu'il prêchait dans le désert. Il ne tenait cependant pas à pousser jusqu'à l'imitation sa dévotion au saint patron national. Comme nous étions dans nos familles à l'heure du chapelet, il lui était impossible de vérifier si nous mettions en pratique ses sages recommandations. La patinoire lui en fournit le moyen. Elle était située dans la cour de l'école. Il s'en constitua le cerbère. Ceux qui désiraient jouer au hockey le soir devaient se rendre à la patinoire pour six heures trente participer au nettoyage ou au déblaiement de la neige. À sept heures, tout le monde quittait la patinoire et entrait dans la grande salle de l'école réciter le chapelet avec son Éminence. Le chapelet terminé, le Frère procédait à la division en deux équipes de ceux qui venaient de s'acquitter de leurs devoirs religieux. La partie pouvait commencer. Les retardataires infidèles étaient implacablement relégués au rôle de spectateurs. Beaucoup plus tard, en regardant des matchs de hockey à la télévision, j'ai compris pourquoi certains joueurs du *Canadien* esquissaient un rapide signe de croix avant de sauter sur la glace: ce sont sans aucun doute d'anciens élèves du Frère Germain.

Ce stratagème si efficace sera apprêté, plus tard

dans l'année, à la sauce du mois de mai. Le mois de mai c'est le mois le plus beau, le cantique le dit, et tous les jeunes fervents de baseball le savent. Un nouveau marché fut conclu: vous venez aux exercices du mois de Marie de sept heures à sept heures trente, et j'organise ensuite une partie de balle où n'ont évidemment le droit de jouer que les dévots. Ainsi l'église fut-elle remplie chaque soir et le Frère put-il s'enorgueillir d'avoir la classe la plus pieuse de l'école. Nous n'étions en vérité que la plus sportive. Jamais n'ai-je autant prié ni autant joué que cette année-là, et à douze ans le jeu c'est le bonheur parfait. Jamais enfin n'ai-je compté tant de camarades que, dès cette époque, je choisissais davantage parmi les queues de classe que parmi les premiers pour la raison bien simple qu'eux au moins aimaient et savaient jouer alors que les autres, mains blanches joues roses, n'arrivaient jamais à lancer et frapper une balle correctement. Premier de classe par habitude, je n'ai jamais pu supporter la fréquentation des élèves modèles, non par jalousie, je n'ai pas ce travers, mais par la recherche encore inconsciente alors d'une forme d'équilibre. J'aimais l'étude et y consacrais le temps qu'il fallait — je n'étais pas le genre à comprendre tout du premier coup sans effort, je devais bûcher — mais je n'en recherchais pas moins les activités physiques où ma petite taille ne me facilitait pas la tâche. Dans les deux cas, je devais ma réussite davantage à ma volonté qu'à mon talent. Si au début les cancres étaient réticents à m'admettre dans leur cercle, les préjugés tombaient rapidement lorsqu'ils se rendaient compte que j'apportais au jeu autant d'acharnement qu'eux, peu importe le sport, fût-il sanglant. Ainsi avions-nous coutume pendant les récréations de jouer au ballon-chasseur, divertissement anodin lorsque pratiqué avec un seul ballon. Le jeu se corsa par l'introduction d'un second ballon permettant à une équipe de

soumetre un joueur adverse au feu croisé des deux
ballons lancés simultanément de l'avant et de l'arrière. Ce fut cependant l'hécatombe lorsque les deux
ballons utilisés jusque-là, ronds et un peu mous,
furent remplacés par deux ballons de football, durs
et coniques. Les joueurs devinrent subitement plus
rares, le taux de participation en chute libre. Ceux
qui vécurent ce jeu de massacre s'en souviennent
encore.

J'y ai quant à moi laissé une dent, celle qu'autrement j'aurais entretenue contre cette société bor-
née. L'amitié des camarades et le dévouement infati-
gable du Frère Germain dont la foi du charbonnier
soulevait des montagnes ont racheté bien des choses.
Car la société québécoise de l'époque ressemblait à
plusieurs égards, et pour cette raison était tout aussi
méprisable, à celle des régimes totalitaires que l'on
nous peignait sous les plus noires couleurs. Le communisme, phobie de nos professeurs, eux-mêmes
porte-parole d'une classe dirigeante craignant pour
ses privilèges, le communisme dont nous ignorions
le premier mot, ne l'avons-nous pas pratiqué sans
le savoir? L'encadrement para-militaire des croisés
est-il sans affinités avec celui des cellules commu-
nistes? La théocratie religieuse d'alors était-elle bien
différente de la religion véhiculée par le parti unique? Mais surtout ne participions-nous pas à une vie
communautaire où l'individu importait moins que la
collectivité? Au jeu, ce microcosme de toutes les
activités, nous devions nécessairement mettre en
commun nos énergies et nos ressources. Et cela in-
consciemment, comme naturellement.

Malgré les jeux, l'horizon s'obscurcissait. La
septième année constituait encore une étape importante. Pour la première fois, et brutalement, nous
étions mis en face de ce que la rhétorique d'alors

appelait notre vocation. Ce mot de vocation nous a hantés pendant toute cette dernière année du primaire. Choisir sa vocation, coup de dés terrifiant qui engageait de façon définitive nos jeunes vies. On nous remettait précieusement un diplôme au terme de cette septième année. Pour certains de mes compagnons, c'était le premier et le dernier, là s'arrêtant leurs études. Ils entreraient bientôt dans le monde merveilleux du travail où l'effort était récompensé non plus par des étoiles d'or collées dans des cahiers mais par de l'argent sonnant clair dans les poches. Les autres, dont j'étais, désireux de poursuivre leurs études, se trouvaient à un carrefour où il leur fallait décider de leur route, sans retour possible. Deux voies s'ouvraient devant nous. Celle empruntée par la presque totalité, le cours secondaire, général, commercial ou scientifique, qui conduisait au diplôme de neuvième et, pour les plus tenaces, à celui de onzième, au-delà de quoi nous attendait le marché du travail. L'autre, dans laquelle ne s'engageaient que des sujets brillants et bien nantis, le cours classique qui s'étirait sur huit ans, était sanctionnée par le baccalauréat, ouvrait sur l'université et les grandes carrières: le gros lot appréhendé. Au moment de faire ce choix, nous avions douze, treize ans qui en valaient quatre ou cinq d'aujourd'hui, ignorants tout de la vie et de nous-mêmes. Aussi d'autres prenaient-ils le plus souvent la décision à notre place, quand ce n'étaient pas les circonstances elles-mêmes, le manque d'argent par exemple, qui se chargeaient d'éliminer l'idée même d'un choix.

Le Frère Germain n'allait pas rester sur la touche et perdre une si belle occasion de déployer son zèle apostolique. Juge et partie dans cette affaire, il avait en effet tout intérêt à influencer notre décision dans un sens précis. Plusieurs communautés religieuses, dont la sienne, géraient de petits empires constitués de plusieurs maisons, juvénats, noviciats, écoles, collèges. Pour assurer la relève des vieillards ou pour prendre de l'expansion, car toutes communautés qu'elles étaient elles fonctionnaient selon les préceptes capitalistes, s'enrichissant du travail d'autrui, il était impératif qu'annuellement une nouvelle fournée de recrues prenne le chemin du juvénat. Le supérieur de la communauté du Frère Germain avait ainsi lancé ses troupes dans une grande battue susceptible de pousser vers le juvénat de jeunes âmes pieuses. Des dizaines de rabatteurs étaient donc en chasse perpétuelle, aiguillonnés par le désir d'être couronnés champion recruteur, de prendre du galon et d'accéder éventuellement au poste de recruteur en chef de la communauté, celui-là qui visitait toutes les écoles de la province où il était reçu avec les plus grands honneurs. Une rivalité féroce dressait l'une contre l'autre des écoles contrôlées pourtant par la même communauté tellement la concurrence était forte. Laquelle produirait le plus de vocations religieuses, laquelle serait citée en exemple à toute la province? Les bouquets spirituels et la Sainte Enfance n'étaient rien en regard du grand jeu de la vocation, de cette traite des âmes qui se déroulait pendant toute l'année de septième.

Le Frère Germain ne pouvait certes se tenir à l'écart d'un pareil tournoi où se jouaient l'avenir de sa communauté et le sien, sans compter le nôtre évidemment. Il n'était d'ailleurs pas pris au dépourvu. Le hockey et le mois de Marie avaient permis, au fil des années, la mise au point d'une technique éprouvée. L'adapter à la situation nouvelle fut chose facile pour un tacticien de sa trempe. Par une belle journée d'octobre, toute la classe se retrouva dans un autobus de louage qui commença par traverser la ville, puis le fleuve, puis roula encore avant de s'immobiliser au pied d'une montagne abritant sur ses flancs une grosse bâtisse en pierre, le juvénat de la communauté. La plupart d'entre nous n'avions pour ainsi dire jamais eu l'occasion de nous évader de la ville et de venir en contact avec la nature. Nos parents ne possédant pas de voiture, nous ne connaissions la campagne que par ouï-dire ou encore par des images ou des photos aperçues dans des livres ou des revues. Aussi le simple fait de sortir de l'île, de voir le fleuve, une rivière, des champs, des fermes, une montagne, fut pour nous une révélation même si nous n'étions qu'en un lieu distant de quelques milles seulement de Montréal, aujourd'hui la banlieue. Le Frère Germain savait tout cela lorsqu'il tendit ses filets. Le juvénat était en effet construit au centre d'un vaste domaine sillonné de ruisseaux, recouvert d'arbres aux essences variées, peuplé d'oiseaux et d'animaux. Au sortir de l'autobus, l'air pur et les coloris éclatants de l'automne nous conquirent tout de suite. Deux patinoires n'attendant que les froids pour se couvrir de glace, des jeux de ballon et de mississipi, un verger où, faveur éminente, nous eûmes la permission d'aider à la cueillette des pommes, une salle remplie d'animaux empaillés achevèrent de culbuter les réticences les plus farouches et décidèrent beaucoup d'entre nous à prendre la soutane. Tour de force inouï que d'embrigader de jeunes âmes dans la vie religieuse sous les fausses représentations de la liberté, du grand air et de l'épanouissement physique!

De retour à l'école, le Frère Germain battait le fer pendant qu'il était encore chaud. Il assiégeait nos consciences. Une âme chancelait-elle, qu'il en donnait l'assaut à coup d'envolées oratoires. Elle se rendait d'ordinaire, armes et bagages, en moins d'une semaine. Non content de vaincre, il savait, ce qui est rare, exploiter parfaitement sa victoire, en tirer tout le suc, la transformer en pépinière de futures victoires. Dès l'instant où l'un de nous manifestait, fût-ce du bout des lèvres, le désir de devenir religieux, le Frère Germain mettait en branle un mécanisme destiné tout autant à fortifier l'élu dans sa décision qu'à l'élever au-dessus du troupeau anonyme. Nous apprenions avec consternation qu'un tel, avec qui hier encore nous jouions au ballon et qui avait été notre complice dans quelque aventure peu avouable, avait choisi de consacrer sa vie à Dieu et qu'il partirait incessamment pour le juvénat. Le Frère persuadait les parents qu'il leur en coûterait moins cher d'y envoyer leur enfant que de le garder à l'école, et qu'en outre Dieu ne manquerait pas de bénir une famille sacrifiant si généreusement un de ses membres pour sa plus grande gloire. La vie auguste que notre compagnon allait bientôt embrasser métamorphosait déjà sa physionomie. Il ne riait plus, restait à l'écart de nos jeux. Interrogé sur l'origine de sa vocation, il évoquait la réflexion profonde l'ayant orienté vers la vie religieuse, utilisant alors des termes et une phraséologie qui nous étaient étrangers. Quelques jours avant son départ, qui survenait au beau milieu de l'année scolaire, une telle vocation ne souffrant aucun retard, le futur religieux promu au rang de héros était promené dans toute l'école. Son cornac l'accompagnait dans sa tournée des classes, le présentant comme un jeune homme sérieux ayant, en toute liberté et après mûre réflexion, décidé de résoudre de façon autant définitive que positive l'épineux problème de sa vocation. Cette année-là, une douzaine de nos petits compagnons succombèrent aux charmes de la propagande du Frère Germain et prirent un à un le chemin du juvénat. Nous terminâmes l'année à effectifs réduits. Aux grandes vacances suivantes, ils commencèrent à réapparaître dans le quartier à tour de rôle. Un an plus tard, ils étaient tous de retour.

Je dois cependant cette justice au Frère Germain de n'avoir jamais fait le siège de mon âme. Il me laissa en paix. Peut-être avait-il eu vent de ma composition de sixième? Peut-être aussi un pacte secret avait-il été conclu entre Monsieur le Curé et lui, réservant à l'un les sujets susceptibles d'entreprendre des études classiques, voie obligatoire vers la prêtrise, et abandonnant à l'autre le menu fretin qui avait cependant l'avantage d'être plus nombreux. Bien que premier de classe, je ne fus cependant pas davantage inquiété par Monsieur le Curé que par le Frère Germain. Même si je raffolais des sports, je n'ai jamais songé à faire carrière chez les Frères. Amoureux de l'étude, je n'étais pas davantage attiré par la prêtrise. J'avais douze ans et, dans l'ignorance de ce que je voulais faire de ma vie, je devais prendre une décision irréversible, aucun pont ne reliant cours secondaire et cours classique. S'apercevait-on que l'on s'était trompé, une fois engagé dans l'un, qu'il n'y avait d'autre solution pour passer dans l'autre que de reprendre pratiquement à zéro, tellement était étanche le cloisonnement du système. Ainsi dès la huitième année de scolarité, le bon grain était séparé de l'ivraie, les futurs dirigeants, des futurs dirigés. Cette fonction de filtre de l'élite de demain n'était pas le moindre avantage de ce système d'éducation médiéval dont le Premier ministre de l'époque affirmait pourtant qu'il émerveillait la planète. De douze à vingt ans, la relève de l'élite était en observation sous une cloche de verre appelée cours classique, où les mandarins l'avaient à l'œil pendant ces huit ans, s'assurant ainsi qu'elle soit leur copie conforme. À la différence du cours secondaire public, le cours classique n'était pas gratuit. N'était en effet pas admis qui voulait à cette épreuve desséchante. Un gardien redoutable en interdisait l'entrée que seul l'argent amadouait. Le cours classique était géré par le domaine privé, chaque collège dirigé par une communauté religieuse par ailleurs championne de la libre entreprise, les frais annuels s'élevant à plusieurs centaines de dollars, somme rondelette à l'époque. Leur accès était donc réservé aux seuls candidats issus de familles riches. En vérité, ne fréquentaient le collège classique pourtant ouvert à tous que les fils de ceux qui, en leur temps, l'avaient fréquenté, merveilleuse mécanique de cooptation qui faisait que plus ça changeait plus c'était pareil. Curieuse application du texte des Écritures, un garçon intelligent mais démuni avait autant de chance d'entrer au cours classique qu'un chameau de passer dans le chas d'une aiguille. Le Québec d'alors aurait mis à la raison cet insolent de Descartes qui avait affirmé que le bon sens est la chose au monde la mieux partagée.

Sans être pauvre, ma famille n'était pas riche non plus. Mon père ne possédait que la maison nouvellement acquise et dont il commençait à peine de rembourser l'hypothèque. S'il voyait que j'avais des dispositions pour les études classiques, les frais de scolarité le faisaient réfléchir. Heureusement, initiative révolutionnaire pour l'époque, l'État inaugurait bien modestement un embryon de cours classique gratuit. Dans des locaux de la Commission des écoles catholiques de Montréal deux sections classiques seraient bientôt ouvertes. L'État prenait à sa charge frais de scolarité et manuels, s'engageant à assurer cette gratuité pendant les quatre premières années du cours classique. Au-delà de la Versification, les étudiants devraient poursuivre dans un collège privé, donc payant. Un grand concours fut organisé un samedi matin pour choisir les soixante boursiers. Quelques centaines des plus brillants élèves de septième année de toute la ville se disputèrent les trop rares postes. Le fameux concours eut lieu à l'école le Plateau, au milieu du parc Lafontaine. L'atmosphère de cette matinée était empreinte de solennel et de lugubre, une tension palpable pesant sur tout le monde, examinateurs comme postulants. Tous étaient pénétrés de la gravité de l'événement que nous vivions. Notre vie se jouait sur notre réussite ou notre échec à répondre au questionnaire. Ce sentiment d'être à un tournant décisif de ma vie, je le retrouverai à quelques reprises par la suite et je le vivrai chaque fois avec la même ferveur et la même froide lucidité surtout. Il y a quelque chose de grisant et d'affolant à la pensée qu'une vie entière se joue en quelques heures dispersées en quatre ou cinq jours stratégiques. Pour la première fois ce samedi matin-là, je me suis pris en mains. J'ai réussi parce que je ne pouvais pas échouer.

J'arrivai donc au terme de mes études primaires dans l'ignorance de ma destination finale mais dans la certitude instinctive de m'être engagé dans la bonne direction. Rien d'ailleurs ne pressait: je disposais maintenant de huit ans avant la prochaine décision capitale. Ignorants de notre ignorance même, nous étions les parfaits produits de notre société. L'avènement de la télévision n'avait pas encore transformé les mentalités. Son absence totale dans notre enfance et relative dans notre adolescence entraînait celle de son principal corollaire, le désir de consommation. Nous n'avions pour ainsi dire pas de désirs matériels parce que n'en avaient pas suscité en nous la publicité que nous n'écoutions pas et les magasins où nous ne mettions jamais les pieds. Ne désirant rien de ce que la société de consommation commençait de nous offrir, la question des moyens pour satisfaire ces besoins ne se posait pas. Si d'aventure nous songions à un métier ou une profession, c'était à un niveau théorique, jamais en fonction de l'argent que sa pratique rapporterait. Comme la télévision, l'argent était une donnée absente de notre jeunesse. Nous n'avions pas d'argent mais cela ne nous manquait pas. Il nous viendra sans l'avoir cherché, à l'improviste.

Au moment de quitter cette école, les camarades, les jeux, je savais m'arracher d'un milieu où j'avais été heureux. Je sentais que je négociais un virage décisif. J'avais vécu ces dernières années au sein d'un groupe avec lequel je faisais corps. J'allais maintenant retrouver la voie solitaire. D'autres groupes se reformeront, m'accueilleront pour un temps plus ou moins long, mais désormais je saurai qu'autour de moi ils peuvent se faire et se défaire mais que je leur survis, peut-être différent et transformé par eux, mais fondamentalement intact. Oui, j'étais bien à un tournant. Comme le tramway 24 en bout de course, aux limites de Montréal-Nord, décrivait un cercle complet aux abords de « Lesage Patates » et amorçait sa longue remontée vers le centre-ville, moi de même qui, du balcon de la rue Beaubien à la rue Berri, et de là aux espaces d'Ahuntsic, m'étais enfoncé par bonds toujours plus au nord, j'allais bientôt refaire ce trajet, mais à l'inverse.

# L'ami Vincent

I l pleuvait. Si j'avais été superstitieux, j'aurais sans doute rebroussé chemin. Mais comment l'aurais-je été en ce premier matin de mes humanités latines, ignorant encore tout de la science des augures et des haruspices? Indifférent aux sinistres présages qu'annonçaient le ciel bas et uniformément gris et la pluie froide qui me courbait la tête, j'avançais boulevard Saint-Joseph, une main enfoncée dans la poche de mon imperméable, de l'autre tenant ma serviette toute neuve qui avait remplacé mon cartable à bretelles. Descendu du tramway Papineau, je me dirigeais vers de Lorimier, relevant la tête aux intersections pour lire au travers de mes cils mouillés le nom des rues inscrit en lettres noires sur la plaque. Cartier, Chabot, Bordeaux. J'approchais.

À l'excitation d'entreprendre mes études classiques, s'ajoutait celle du voyage que je venais d'effectuer et que j'allais faire en aller-retour quotidiennement pendant les quatre prochaines années. Entre la maison et ma nouvelle école il y avait loin pour un enfant de treize ans pour la première fois lâché seul dans la ville. Le trajet n'avait rien d'une promenade surtout par mauvais temps. Il commençait

rue Fleury par l'attente souvent décevante d'un autobus qui, lorsqu'il s'amenait chargé ras bord, passait
tout droit à pleine vitesse. Je marchais alors jusqu'à
Papineau, un exercice d'une quinzaine de minutes
particulièrement pénible l'hiver, les trottoirs non
encore déneigés. Là, nouvelle attente frigorifiante de
l'autobus 45. Sauriol, Sauvé, j'étais en pays de connaissance, mais au-delà de la rue Charland, retran-
chée derrière la voie ferrée et sa réputation de coupe-
gorge, s'étendait le néant sidéral, l'équivalent du
survol de l'océan dans une traversée transatlantique.
Nous quittions le continent à Charland et nous nous
enfoncions dans une sorte de « no man's land »,
d'un côté le paysage lunaire de la carrière Miron,
de l'autre des terres en friche se déroulant à perte
de vue. Ce passage du désert s'effectuait d'ordinaire
à un train d'enfer, l'accélérateur rageusement collé
au plancher par le chauffeur profitant de cette longue droite sans arrêts ni feux pour se défouler ou
combler quelque retard accumulé à l'horaire, ou au
contraire à un rythme d'escargot, le chauffeur en
avance sur son horaire perdant ostensiblement son
temps tout en écœurant copieusement les passagers
impatientés. Nous touchions terre à nouveau au
rond-point Métropolitain. La première étape du
voyage tirait à sa fin. L'autobus s'arrêtait en effet
à Bélanger où les voyageurs devaient attendre la
correspondance du tramway Papineau qui, venu du
centre-ville, avait là son terminus. Virer de bord
n'était toutefois pas une mince opération. Le tramway s'engageait vers l'est sur Bélanger, stoppait, le
conducteur descendait, abaissait le trolley arrière et
montait celui de l'avant qui devenait le temps de la
manœuvre suivante l'arrière, mettait sa machine en
marche par l'arrière maintenant l'avant, traversait
l'intersection, stoppait à nouveau, replaçait les deux
trolleys dans leur position première, remettait en
marche cette fois par l'avant et tournait enfin sur

Papineau vers le sud. Cette manœuvre exécutée au milieu de la circulation automobile et piétonnière demandait plusieurs minutes pendant lesquelles les voyageurs extraits de la chaleur toute relative de l'autobus battaient la semelle, ballottés dans un perpétuel chaud-froid, les doigts et les oreilles dégelant à l'intérieur des véhicules et regelant sitôt dehors, les pieds quant à eux gelés dur pendant tout le trajet. Le tramway s'ébranlait enfin et, à Beaubien, je croisais sans m'en souvenir au large du balcon de l'enfance, attiré plutôt par les photos-réclame du cinéma « la Scala ». Cahin-caha, dans un bruit de ferraille, le tramway finissait par arriver à Saint-Joseph où il ne servait à rien d'attendre un autobus jamais là. Je complétais donc la dernière portion du trajet à pied, comme je l'avais commencé. Le soir après les cours, il fallait découdre ce chemin pour rentrer à la maison. Chose inconcevable, j'ai trouvé du plaisir à ce périple quotidien. De solides amitiés se cimenteront même grâce à lui.

J'aperçus enfin une bâtisse de briques rouges derrière laquelle luisait sous la pluie une cour asphaltée. C'était donc ça la section classique, une vieille école cernée de tous côtés par des rues, des autos, des maisons de trois étages attachées les unes aux autres pour mieux se tenir debout! Cruel contraste avec le quartier aéré que j'avais quitté le matin même! Il y avait sûrement erreur, « mon » école devant être derrière, ailleurs, tout mais pas ça. Il n'y avait pas erreur comme je le découvris en y pénétrant, sauf erreur de ma part. Les autorités avaient décidé quant à elles de faire du neuf avec du vieux. La section classique logeait en effet dans une aile en retrait d'une école primaire et secondaire, dans la moins belle partie de l'édifice n'ayant pas façade sur Saint-Joseph et dont la porte ressemblait à l'entrée de service, comme pour bien nous faire sentir que toute

section classique que nous étions nous n'en formions pas moins un groupe à part, tenus pour des
intrus, à peine tolérés, franchement indésirables.
Pendant les quatre ans que je fréquenterai cette
école, aucun contact ne rapprocha jamais la section
classique et la section secondaire qui se côtoyaient
en s'ignorant, comme si du côté secondaire on eût
voulu montrer que tout secondaire qu'on était on
avait néanmoins sa fierté, et du côté classique comme s'il allait de soi que l'élite de demain devait
s'habituer tôt à ne pas frayer avec ses futurs subor-
donnés. Pourtant, comme je m'en aperçus rapidement en parlant avec mes nouveaux compagnons,
toute future élite que nous constituions nous étions
tous issus du même milieu ouvrier que les élèves
du secondaire. Si nous avions concouru pour l'obtention de la bourse, c'était avant tout parce que nos
parents n'auraient vraisemblablement pas eu les
moyens de défrayer les frais de scolarité du cours
classique. Auraient-ils eu ces moyens qu'ils nous
auraient inscrits d'office dans l'un ou l'autre des
nombreux collèges privés auréolés de tout le prestige dont la section classique était si manifestement
dépourvue. Les locaux modestes où elle nichait
avaient sans doute été choisis à escient pour calmer
les appréhensions des institutions privées protestant
devant l'établissement d'un embryon de cours classique gratuit. Elles avaient probablement toléré la
mise sur pied de quelques sections publiques dans
des locaux dénués de toutes les facilités, gymnase,
piscine, auditorium, qu'elles étalaient pour séduire
leur clientèle, certaines que toute comparaison tour-
nerait à leur avantage et rehausserait encore leur
réputation.

La section classique était dirigée par des Frères
d'une autre communauté que ceux que j'avais con-
nus pendant les années précédentes. Ils s'en distin-

guaient moins par l'absence de rabat, se contentant d'une grosse croix en sautoir, que par leur connaissance de la langue latine d'habitude l'apanage des Pères et des prêtres, élément de friction supplémentaire entre la section classique et les collèges privés. Nous n'y perdîmes rien au change, au contraire. En classe de Syntaxe et de Méthode, j'eus des Frères pour professeurs de latin. Ces religieux avaient dû suer sang et eau pour s'initier à cette langue, ayant sans doute bu jusqu'à la lie le mépris des Pères qui la leur avaient enseignée avec le sentiment de jeter des perles aux cochons. Peut-être même l'avaient-ils apprise par eux-mêmes, le soir après leurs classes, l'été pendant leurs vacances. Ils en avaient acquis les rudiments comme l'on apprend à compter, jusqu'à dix, puis jusqu'à cent, jusqu'à mille, jusqu'à dix mille, jusqu'à un million, je veux dire comme une suite de règles à mémoriser et de difficultés à surmonter. Ils parlaient latin mais ne le sentaient pas, éprouvant à manier cette langue, pour eux nouvelle, le plaisir de l'enfant à agiter un hochet. Pendant ces deux années, ces professeurs s'amusèrent à nous éblouir en débitant de mémoire des règles de grammaire sur lesquelles nous trébuchions et à nous indiquer les yeux fermés la page et l'endroit de la page où trouver la règle en question. Exploits de virtuose où ils plafonnaient! Du moins l'enseignaient-ils avec la ferveur non encore émoussée par des années de pratique routinière, n'ayant eu personne avant nous à prendre à témoin de leur réussite. Nous étions, en même temps que leurs élèves, leurs preuves. D'origine encore plus humble que la nôtre, ils n'avaient pas eu la chance d'étudier dans les meilleures maisons. Aussi ne disposaient-ils pas de la vaste et profonde culture souhaitable chez des maîtres de la jeunesse mais, malgré les tics inévitables chez leur espèce, ils étaient totalement dévoués à leur tâche. La chasse aux sor-

cières des années antérieures ne fut pas relancée,
signe qu'ils avaient une certaine ouverture d'esprit,
non plus que la chasse aux vocations qu'ils s'inter-
disaient avec d'autant plus de mérite que le bracon-
nage des âmes dans ce territoire protégé leur aurait
rapporté des recrues de choix. Jamais non plus ne
sentirais-je chez eux la suffisance insupportable,
fondée sur l'ignorance crasse, dont je serai plus tard
abreuvé par les Pères du collège où je terminerai
mon cours. La raison en est peut-être que la section
classique située en milieu populaire ne favorisait
pas la croissance de la fatuité indécente dans un tel
milieu, alors que le collège privé, au diapason du
quartier cossu où il était enfoui, jouera les poux qui
se donnent des airs.

Nous vivions dans le royaume de la sourdine,
comme si l'hybridité des Frères maniant la langue
de Virgile eût contaminé tout le reste ou, au contraire et peut-être plus justement, eût été la manifes-
tation d'un état d'esprit qui avait marqué de son
empreinte toutes les composantes. Quelque chose
s'était amorcé qui craignait de s'épanouir trop ouvertement, les prémisses de la Révolution tranquille et
de sa réalisation majeure: la réforme de l'éducation.
Les professeurs laïcs formaient la majorité du corps
professoral, fait singulier dans une école dirigée par
une communauté religieuse qui d'ordinaire s'attri-
buait les postes clés et s'appropriait les classes
avancées, abandonnant les premières aux laïcs de
service. Les professeurs laïcs détenaient par contre
des postes importants, ceux de titulaires d'Éléments
latins et de Versification notamment. La situation
des religieux était donc précaire d'autant plus qu'ils
avaient affaire à forte partie, les laïcs désignés pour
cette école-pilote ayant été triés sur le volet. Pour la
première fois peut-être dans le système public, les
enseignants laïcs déclassaient et en quantité et en

qualité leurs vis-à-vis religieux dont c'était le tour d'être à peine tolérés. Autre innovation, du moins pour nous, mais non encore pleinement développée, le régime des professeurs spécialistes, amorce d'un décloisonnement où la classe conventionnelle n'existe plus, se faisant et se défaisant à chaque cours. Nous avions les spécialistes mais conservions le titulaire responsable de l'enseignement du français et du latin. Ce sont les professeurs qui se promenaient de salle en salle, non les étudiants sagement assis à leurs pupitres d'ailleurs vissés au plancher, ce qui avait du moins l'avantage d'éliminer les embouteillages dans les corridors. Choisir nos cours était évidemment exclu, le programme d'une rigidité à toute épreuve ne prévoyant aucune possibilité d'écart. Personne parmi nous ne songeait d'ailleurs à se plaindre de cet état de choses tellement était ancrée en nous l'habitude d'être pris en charge. Ainsi dans cette classe immobile devant laquelle défilaient à tour de rôle des professeurs comme autant de commis voyageurs débalant leur camelote, tout le monde suivait rigoureusement les mêmes cours, recevait le même enseignement. Aux yeux des autorités nous étions sans doute tous semblables puisqu'on nous servait la même pâtée, dans l'espoir qu'au sortir de cette chaîne de montage nous serions des copies conformes les uns des autres, fabriquées pour s'ajuster au moule des quelques professions libérales auxquelles on nous destinait sans jamais nous avoir consultés.

Si l'oisiveté est la mère de tous les vices, l'horaire de nos journées semblait avoir été fabriqué pour nous éviter d'en contracter le moindre germe. Les cours débutaient à huit heures trente, précédés d'une bonne heure de voyagement. L'avant-midi était partagé en deux volets composés chacun de deux cours de quarante-cinq minutes, et au centre desquels, à dix heures, une récréation de quinze minutes servait de soupape au surcroît d'énergie réprimée en classe. Nous étions libres de midi moins quart à une heure trente. Reprenaient alors les cours, trois d'affilée nous amenant à la récréation de quatre heures moins quart d'une durée de trente minutes. Au-delà, se déployait dans son immensité accablante une période d'une heure trente faussement appelée « étude », puisque réservée quotidiennement à une matière différente, le professeur responsable occupant par des devoirs écrits que nous rendions à la sortie cette « étude » où nous n'avions l'occasion de rien étudier sinon les effets de la fatigue. À six heures moins quart nous regagnions nos foyers où, après le souper, nous attendaient de l'étude et d'autres devoirs. Cela du lundi au vendredi, sauf le mercredi après-midi où nous avions un congé que l'on payait par des cours le samedi matin de huit heures trente à midi moins quart, les dernières quarante-cinq minutes dévolues à une « étude » de mathématiques ou de géométrie, histoire de s'assurer que notre samedi était bel et bien gâché. D'où venait en effet cette pratique des cours du samedi, d'ailleurs en usage dans les collèges privés, sinon de la volonté de nous séparer encore davantage de nos anciens compagnons du primaire que nous perdions rapidement de vue, comme si on désirait nous inculquer à toute force le sentiment de notre différence? À moins que plus prosaïquement elle n'eût comme but premier que de meubler le samedi des religieux qui ne savaient déjà pas quoi faire de leur dimanche. En tout état de cause nous ingurgitions chaque semaine trente-quatre cours, sans compter les « études » quotidiennes, les leçons et les devoirs à la maison, de la Fête du travail à la Saint Jean-Baptiste. Régime amaigrissant ou engraissant selon le point de vue!

Importantes en soi, les matières enseignées s'inscrivaient avant tout dans un rite initiatique, l'essentiel étant l'esprit dans lequel elles baignaient. Toutes matières traditionnelles du reste, le français et le latin à raison chacun de six cours par semaine, l'histoire, la géographie, la religion, l'anglais, les mathématiques et la géométrie se partageant le reste du temps. En toutes, l'accent était mis sur une somme de connaissances à acquérir plutôt que sur la formation du jugement: la tête bien pleine plutôt que bien faite, la première garante de la seconde. Nous vivions à l'enseigne du par cœur et nous avions comme professeurs des virtuoses de la mémoire. Celui de latin déclinait comme une récitation sa grammaire latine, règles et exceptions comprises, mais n'avait lu ses classiques qu'en morceaux choisis, ceux-là même composant notre menu quotidien. Celui de mathématiques enfilait au tableau ses théorèmes dans une sécheresse à cent lieues du véritable esprit mathématique. L'histoire était ramenée sous la férule de l'historien de corvée à une suite indigeste de dates et d'événements relatifs à des hommes qui toujours nous demeureront étrangers. Le titulaire de la classe de français ne connaissait de la littérature française que ce qu'en disait le gros manuel Calvet qu'il lisait au cours. Tous gens de bonne volonté mais de petite stature, incapables de nous transmettre ce qu'on ne leur avait pas appris, avec pour résultat tragique qu'à cet âge critique nous n'avons pas eu de maîtres, ne trouvant personne parmi nos aînés à admirer, personne qui nous aspire dans son sillage avec l'espoir que nous le dépassions un jour, ce qui est le propre d'une transmission réussie du savoir. Le seul véritable humaniste que nous rencontrerons, le titulaire de Versification, un quinquagénaire qui avait lu et relu ses classiques, les avait digérés, les pratiquait et, vrai pédagogue, s'efforçait de nous communiquer son expérience et sa vision toute en nuances des choses, celui-là nous rirons de lui et nous nous moquerons de ses cours construits non sur une mémorisation stérile mais sur l'apprentissage de la réflexion. Malgré nos connaissances théoriques, notre cécité progressait donc qui nous conduirait au seuil de l'âge adulte, les yeux crevés.

Nous étions aux travaux forcés. Au fil des jours, des semaines et des années, nous subissions un entraînement quasi militaire à l'écriture. C'était une suite ininterrompue de dissertations, de compositions, d'examens, de devoirs, une interminable course d'obstacles où une barrière franchie donnait simplement le droit de se mesurer à deux nouvelles, un peu plus hautes que la précédente. Nous tombait dessus avec une régularité de métronome une dissertation ou une composition sur des sujets évidemment imposés dont le dénominateur commun était leur caractère artificiel. Après quelque temps de ce régime nous pouvions débattre de toute question à un niveau suffisamment général pour dissimuler au mieux notre ignorance insondable des données concrètes. Disserter sans égard aux idées manipulées, n'avoir rien à dire mais du moins savoir comment le dire, bref ne rien dire mais dans les formes, voilà où menait la ration hebdomadaire de dissertations dont on nous gavait. De même rédigions-nous nos compositions françaises sur le modèle doublement étranger d'auteurs français non contemporains. Si Chateaubriand avait peint la campagne romaine aux couleurs de sa mélancolie, nous léchions nos descriptions automnales en termes chateaubrianesques, misant sur les mots rares, les archaïsmes, les tournures alambiquées et les images tordues pour appâter le correcteur qui la plupart du temps n'y voyait que du feu, associant le clinquant à l'excellence. Nous ne choisissions jamais, comme objets de descriptions, notre rue, notre quartier, notre ville, jugés indignes *a priori* de figurer dans un texte littéraire. Des matériaux plus nobles étaient requis, qui devaient leur anoblissement à leur utilisation au préalable par de grands écrivains. Nous oubliions que ces auteurs proposés à notre admiration avaient, eux, parlé de leur vécu. Problème insoluble pour les êtres aériens que nous étions, dont toute l'éducation visait précisément à nous couper de nos racines et à nous propulser en dehors du temps, de l'espace et de l'histoire qui normalement auraient dû être les nôtres, entreprise inouïe de dessèchement méthodique de notre âme avec pour unique consolation l'acquisition d'une discipline de travail et d'un sens de l'organisation.

Sans l'esprit de camaraderie prévalant entre les étudiants, ce marathon aurait été insupportable. Nous vivions ensemble presque dix heures par jour, du lundi au samedi, dix mois par année, astreints au même règlement comme des prisonniers purgeant une peine. Avec quelques compagnons qui s'inscriront au même collège privé que moi pour la seconde moitié du cours, j'ai partagé ce coude à coude huit années durant. Dans ces conditions naissait et se fortifiait au fil des ans une solidarité de groupe inébranlable habillant de chair frémissante ce squelette décharné. Là était désormais notre véritable famille, plus vraie et plus présente que celle que nous quittions le matin et retrouvions le soir. Des liens se nouèrent d'autant plus forts que quotidiennement trempés dans les mêmes malheurs et les mêmes joies. Nous étions pourtant au point de départ des individualistes notoires, des premiers de classe, roitelets de royaumes aussi petits et aussi vastes que la cour d'une école primaire. Ne devions-nous pas précisément à notre force individuelle, sanctionnée par le concours d'entrée, d'avoir été

invités à cette section classique? Les affrontements
farouches auxquels aurait pu donner lieu ce tournoi
des champions ne se produisirent pas. Contre toute
attente, la jalousie ne trouva pas là un terrain propice où fleurir. Certes, même parmi cette élite, des
premiers et des queues de classe se démarquèrent
mais, sauf inévitables exceptions, nulle arrogance,
nul mépris, au contraire une fraternité nous unissant
dans le malheur lorsque par exemple un camarade
nous quittait à la suite d'un échec. Chaque matin
nous convergions vers l'école de différents quartiers
populaires, Rosemont, Villeray, Crémazie, Maison-
neuve, le Plateau Mont-Royal, Ahuntsic, Montréal-
Nord. Malgré nos provenances diverses, nos régio-
nalismes se fondirent bientôt dans le creuset de
notre nouveau lieu d'habitation. Par la force des
choses notre quartier d'origine nous devenait chaque
jour davantage extérieur. Nous perdions graduellement le contact avec nos compagnons du primaire
qui poursuivaient leur chemin au secondaire ou sur
le marché du travail. Comme la langue hésite parfois avant de se fixer sur le choix d'un terme nouveau, en acceptant indifféremment deux pendant
quelque temps, de même tentions-nous au début
de cultiver une double nationalité. Après quelques
mois le divorce était cependant consommé, ne nous
laissant d'autre choix que de nous intégrer au nouvel environnement, désormais le seul à notre portée.
À l'instar de la fusion des patois provinciaux rapidement accomplie en Nouvelle-France à l'étonnement des voyageurs étrangers, ainsi naquit après
une courte période de gestation la communauté à
laquelle nous nous identifierons désormais.

De tous mes camarades, Vincent fut le plus solide. Je l'avais remarqué lors de la première lecture de
notes en Éléments latins. Il était le premier. Ce fut
d'ailleurs la seule occasion que cet honneur lui

échut comme s'il lui eût suffi d'avoir atteint ce but une fois. Il se leva et s'avança prestement, se faufilant dans les rangées, la démarche à la fois lourde mais agile, l'air confiant mais sans orgueil, les cheveux noirs plantés très bas sur le front, et drus et serrés, et là-dessous une figure de pleine lune où perçaient sous les paupières deux petits yeux narquois. J'avais jusque-là assimilé sa rondeur à de la lourdeur, son embonpoint à de l'ineptie. J'en avais fait un ours. Il était plutôt pingouin, pataud en apparence, vif et agile en réalité. Comme il habitait Montréal-Nord et que nous prenions les mêmes tramways et les mêmes autobus soir et matin, nous devînmes rapidement et comme naturellement amis. L'aîné d'une famille nombreuse, il acceptait difficilement ce qu'il considérait comme un traitement de faveur, se sentant tout au long de ses études responsable de ses frères et sœurs. Ses racines terriennes vivaces, son gros bon sens paysan le détournaient instinctivement de l'univers abstrait dans lequel nos discussions nous entraînaient souvent, comme s'il avait été doté très jeune du sentiment de la relativité des choses. L'enseignement que l'on nous administrait coulait sur son épiderme sans le pénétrer, la primauté du physique sur l'intellectuel, du matériel sur le spirituel, n'ayant jamais fait difficulté à ses yeux.

À midi moins quart, nous dînions ensemble, toujours la même bande. Un problème se posait que les autorités avaient solutionné avec ingéniosité. Nous demeurions trop loin pour retourner dans nos familles. Pas question non plus de prendre notre repas à l'école dépourvue de la moindre facilité à cet égard. Encore moins question de nous envoyer dans des restaurants environnants d'ailleurs inexistants, non plus que de nous forcer à mastiquer des sandwiches froids dix mois sur douze dans cette

période de croissance. Rue Parthenais un peu au
nord de Saint-Joseph, à cinq minutes de marche,
l'École des métiers de la construction abritait dans
son sous-sol une cafétéria. Une entente fut conclue
nous donnant accès à cette cafétéria où pour moins
d'un dollar était servi un repas chaud, aux portions
généreuses, les solides appétits des gars de la construction ayant créé des habitudes de service dont
nous profitions. Notre petite troupe joyeuse se pointait à la soupe juste avant que la sonnerie de midi
ne retentisse et qu'en quelques secondes la salle soit
envahie par un raz de marée de costauds apprentis.
Nous avions notre table attitrée et jamais nous ne
nous mêlions aux aspirants plâtriers, électriciens,
menuisiers, plombiers, peintres, non par snobisme,
nous ignorions et le mot et la chose, mais parce que
nous intimidait leur taille en regard de laquelle la
nôtre était lilliputienne. Rarement nous adressaient-
ils la parole. Jamais non plus ne se moquèrent-ils
de nous, leurs patrons de demain, la cravate déjà
nouée autour d'un col blanc, portant veste et pantalon, s'affichant par le costume comme appartenant
déjà à la classe dirigeante. Le leur nous intriguait,
salopettes blanches ou bleues avec bavettes, toujours
maculées, et leurs casquettes qu'ils portaient de côté
et soulevaient constamment en parlant. À l'arrivée et
au départ, nous regardions dans les corridors et les
salles transformés en perpétuels chantiers. Là, on
avait commencé de peindre un mur en jaune que la
semaine précédente on avait peint en vert. Ailleurs
des plâtriers avaient dressé leurs échafauds et leurs
trétaux. Plus loin, des fils, des tuyaux, des planches.
Nous observions ce laboratoire avec la curiosité
béate du profane qui pour la première fois scrute la
voûte céleste au télescope. Et c'était comme deux
mondes, chacun emporté dans sa propre révolution,
qui se frôlaient sans se toucher.

À midi quart nous étions dehors. Lorsque le temps le permettait, nous nous rendions au parc Fullum. L'appellation de « parc » était grandement exagérée, à moins de songer à un enclos pour le bétail. C'était un grand rectangle fermé par une haute clôture au centre duquel les latrines divisaient l'espace en deux: d'un côté les jeux pour les enfants, balançoires, tourniquet, glissoires, carré de sable, de l'autre une étendue dénudée et plane, où une végétation coriace luttait contre l'envahissement de grandes plaques désertiques. Au fond du parc, sur toute sa largeur, une industrie de métal et de ferraille. Côté nord, la muraille bétonnée des viaducs du boulevard Saint-Joseph et de la rue d'Iberville qui se croisaient. Jamais nous n'avions imaginé que deux viaducs puissent ainsi se couper perpendiculairement. Devant ce spectacle nous rêvions à d'hypothétiques télescopages de voitures si les feux de circulation tombaient soudainement en panne, les conducteurs, prisonniers de leurs couloirs comme d'immenses œillères, s'emboutissant sans avoir même le temps de freiner, persuadés chacun d'avoir la voie libre et ne découvrant leur méprise que dans le flash final. Dans l'air flottait en permanence une âcre odeur de goudron émanant d'une entreprise voisine de couvreurs. Notre âge nous interdisant les manèges, restait le terrain vague où jusqu'à une heure vingt nous jouions au football. Les vestes et les cravates tombaient, les manches de chemise se relevaient, nous nous divisions en deux camps et la partie s'engageait. On ne plaquait évidemment pas l'adversaire, se contentant de le toucher ce qui arrêtait automatiquement le jeu. Se tenaient de graves conciliabules où s'élaboraient des stratégies audacieuses pour prendre l'ennemi en défaut, suivis d'exécutions boiteuses, les membres d'une même formation se rejetant alors la faute mutuellement, mais parfois spectaculairement réussies, provoquant des démonstrations d'exhubérance d'un côté et de l'autre d'âpres reproches au défenseur fautif qui se disculpait du mieux qu'il pouvait. D'orageuses palabres éclataient pratiquement sur chaque jeu. L'un argumentait avoir touché à la chemise gonflée par le vent du joueur adverse qui rétorquait n'avoir rien senti. Une fois ce litige tranché, encore fallait-il mesurer la distance franchie depuis le point où s'était effectuée la mise en jeu initiale, l'équipe offensive devant couvrir dix verges à l'intérieur de la limite des trois essais, à défaut de quoi elle perdait le ballon. Faute d'un ruban à mesurer nous usions d'un expédient bien imparfait, calculant la distance parcourue à l'aune d'une enjambée censée valoir trois pieds. Tous n'ayant pas la même conception de l'enjambée ni du reste la même longueur de jambes, les deux camps s'entendaient rarement sur la distance en dispute. Un compromis devait être négocié et le jeu reprenait que l'on s'invectivait encore.

Les jours de pluie et tout l'hiver, il n'était plus question du parc. Nous nous retrouvions dans la grande salle de l'école. Deux jeux s'y pratiquaient, le ping-pong et le mississipi. Ces jours-là, au sortir de la cafétéria, nous reprenions le chemin de l'école dont les portes verrouillées dès notre départ ne rouvraient que vers midi trente. Nous battions la semelle pendant quinze-vingt minutes, une queue se formant dès midi quart dans les escaliers. Les tables de ping-pong étant les plus convoitées, les premiers arrivés pouvaient se les approprier. On jouait des coudes et des épaules dans la file, la tension augmentant à mesure que l'heure fatidique approchait et que le froid engourdissait les pieds, les mains et les oreilles. Des alliances imprévues se concluaient parfois entre un élément de tête et un élément de queue, le premier s'engageant à prendre le second comme partenaire à sa table, ce qui soulevait les récriminations des centristes voyant leurs derniers espoirs s'envoler. Ce poussaillage durait jusqu'à l'ouverture des portes, ce qui survenait quelquefois avec cinq minutes d'avance lorsque le surveillant magnanime avait pitié de nous. Mais le plus souvent, et en particulier lorsqu'un certain professeur était de garde, elles ne s'ouvraient qu'avec de longues minutes de retard. Il le faisait exprès pour nous enrager, promenant sa tête de fouine dans la porte qu'il entrouvrait pour nous enjoindre de patienter. Il fallait bien qu'il finisse par mettre un terme à son plaisir sadique et alors dans un déferlement irrésistible nous prenions les différentes tables d'assaut. Les premiers accaparaient celles de ping-pong et les accessoires, filets, raquettes, balles. Les parties étaient précédées de l'obligatoire séance de « pratique » où les deux opposants s'étudiaient tout en se réchauffant, pendant que le « remplaçant » faisait le pied de grue autour de la table attendant impatiemment que la partie démarre... et se termine.

Aux époques de tournois, les mines des pongistes devenaient plus graves, un silence tendu pesant sur la salle, rompu par des cris brefs, le plus souvent de déception. Les autres se rabattaient sur les tables de mississipi, jeu aujourd'hui en voie de disparition. Il se pratiquait sur des tables longues d'une dizaine de pieds et larges d'environ dix-huit pouces, surfaces de bois franc poli, limitées de chaque côté par une bande haute de quelques pouces, et se terminant aux deux extrémités par une fosse fermée où tombaient les rondelles. Le jeu, auquel participaient d'ordinaire quatre joueurs répartis en deux équipes, consistait à placer ses rondelles le plus près possible de la fosse mais en évitant qu'elles n'y chutent, et à heurter celles de l'adversaire pour les éliminer. Tant que l'on se contentait de lancer les rondelles en ligne droite, l'une poussant la précédente dans la fosse, la partie n'offrait pas grand intérêt. Elle s'animait lorsque l'un des joueurs ratait son coup, qu'il ne touchait pas à la rondelle adverse ou, trop audacieux, qu'il envoyait la sienne dans la fosse en essayant de réaliser un « coq » valant trois points. Son adversaire protégeait alors sa rondelle déjà en jeu en plaçant la suivante à faible distance derrière elle, forçant ainsi la partie adverse à de savants carambolages, à d'astucieuses combinaisons par les bandes. Les risques d'accident augmentaient alors car, malgré ses apparences pantouflardes, ce jeu était dangereux, plusieurs y ayant récolté des coupures aux visages, des lèvres fendues, parfois une dent cassée. Lorsqu'un joueur se voyait coincé, il tentait souvent de renverser la situation par un coup d'éclat, presque toujours exécuté avec le maximum de force dont il était capable ce qui avait au moins comme avantage, si l'exploit ne réussissait pas, de servir de défoulement à sa rage de perdre. La surface de la table luisante comme une patinoire, les rondelles de bois franc, la vitesse avec laquelle elles étaient projetées, provoquaient souvent l'envol des projectiles qui, après avoir donné contre la bande ou une pièce adverse, continuaient leur route par voie aérienne au-delà des limites de la table. Et alors gare à soi, lesdites rondelles ayant la réputation de ne reculer devant rien! L'une d'elles s'était un jour dirigée avec la précision d'un engin téléguidé sur l'occiput d'un surveillant honni de tous, un certain Canis dont nous déformions ainsi le nom par dérision. Il arpentait alors la salle, les mains derrière le dos, les oreilles rouges, le teint cramoisi, les lèvres serrées, l'œil au guet. La douleur le cloua un instant sur place. Il fit ensuite volte-face, fusillant du regard le coupable appréhendé, une grande perche avec qui il avait déjà eu maille à partir. La préméditation était flagrante, pensait-il, l'autre l'ayant lâchement frappé dans le dos, par vengeance. Les deux s'expliquèrent devant le directeur qui interdit pour quelque temps à notre compagnon la pratique du mississipi. Le roquet de surveillant reprit sa ronde, obligé de se satisfaire de cet os. *Cave canem!*

Nos jeux ne comportaient heureusement pas tous un pareil taux de risques. Certains auraient pu constituer l'occupation quotidienne de vieillards à l'hospice, telle la rage de la collection des correspondances de tramways et d'autobus qui se propagea une année à toute l'école. D'où vint cette passion? Pourquoi disparut-elle aussi soudainement qu'elle était née? Mystère. Une correspondance n'était pourtant qu'un rectangle de mauvais papier sur lequel, imprimés en rouge ou en vert selon la saison, se lisaient le numéro et le nom de la ligne d'autobus ou de tramway, et ceux de toutes celles qu'elle croisait dans son trajet. Chaque jour celle de l'autobus Fleury le matin, et celle du tramway Papineau le soir me servaient de sauf-conduit dans mes pérégrinations. Nous n'attachions à ces bouts de papier aucune autre importance. Notre point de vue changea radicalement le jour où l'un d'entre nous étala un embryon de collection de correspondances, présentant avec émotion les plus rares qui identifiaient des lignes desservant des quartiers éloignés. De ce jour nous commençâmes à marcher les yeux par terre, furetant dans tous les coins, l'œil allumé de la flamme du chercheur d'or qui espère toujours découvrir au fond de sa passoire la pépite qui illumine ses rêves. Quelle course lorsque deux limiers aperçoivent une proie prometteuse en même temps, quelle déception de la rater par une fraction de seconde, et quelle moquerie devant une fausse perle! Certaines étant d'une grande rareté, la chasse s'intensifia, se systématisa dans des battues, expédi-

tions où l'on traquait le gibier et passait au peigne
fin rues, ruelles, trottoirs, poubelles, tous lieux
susceptibles de cacher la pièce manquante. On lor-
gnait avec envie les piles de correspondances que les
chauffeurs entassaient dans des petits casiers à res-
sorts à côté de la boîte à tickets, prêts, si l'occasion
se présentait, à faire main basse sur un pareil butin.
Jamais cependant n'avons-nous pris le seul moyen
infaillible de nous procurer les joyaux absents, la
descente dans le quartier en question à la recherche
du spécimen aussi abondant là-bas que celui de la
Fleury 57 à Ahuntsic, comme si nous savions que
semblable démarche aurait tué instantanément tout
le plaisir de la quête reposant moins dans la découverte en soi qui en marquait plutôt le terme que
dans l'espoir de cette découverte toujours immi-
nente, jamais réalisée. Nous rêvions à la Bannan-
tyne 107 et à la Lafleur 121 comme d'autres rêvent
aux minarets turcs ou aux plages brésiliennes, en-
viant aux habitants de ces quartiers exotiques leur
chance de froisser négligemment de pareils bijoux
avec l'aveuglement naïf de Nordiques jalousant les
peuples des Tropiques de la douceur de leur climat.

Lorsqu'il pleuvait ou faisait trop froid pour jouer
dehors, nous partions souvent en excursion rue
Mont-Royal. Nous déambulions avec une joie sans
cesse renouvelée dans cette rue commerciale, la plus
attrayante que nous connaissions. Nous nous prome-
nions pour le pur plaisir de la promenade, en vrais
badauds, le nez au vent, les mains dans les poches,
le pas lent, l'œil curieux de tout, en devisant joyeusement. Nous la rejoignions à la hauteur de la rue
Parthenais où nous suivions le courant vers l'ouest.
Jusqu'à Papineau, rien de notable, des échoppes,
des petites boutiques sur lesquelles nous levions le
nez. À partir de Papineau tout changeait. Un peu en
retrait de l'intersection, les deux cinémas *Papineau*

et *Dominion* se dévisageaient dans une orgie d'ampoules clignotantes. Nous nous y arrêtions longuement pour commenter les images sous verre. Au coin sud-ouest, *Larivière et Leblanc* constituait la première véritable étape de ce pèlerinage quasi hebdomadaire. Nous parcourions les allées avec des airs de clients affairés qui ne trompaient pas le personnel qui nous avait à l'œil. La marche reprenait ensuite toujours vers l'ouest. Nous arrêtions devant les vitrines, reluquant la marchandise offerte en pâture à nos critiques, refaisions chez *Woolworth* et chez *Messier* le numéro des clients affairés, jetions des regards gênés et curieux sur la devanture du *Passe-Temps*, cinéma de mauvaise réputation qui régalait sa clientèle de films osés pour l'époque, et, comme attirés par un aimant, finissions invariablement par aboutir dans l'entrée vitrée du magasin de musique Turcot. C'était la grande époque d'Elvis, *Hound Dog* et *Don't be cruel* incrustés pendant des mois en tête du palmarès de CKVL, la station radio en vogue que nous écoutions religieusement. Les premiers quarante-cinq tours apparaissaient sur le marché et lorsque l'un de nous disposait de la somme de un dollar nous entrions tous ensemble participer à l'achat du moins par le regard. La promenade s'achevait aux environs de la rue Saint-Hubert que nous dépassions rarement, faisant demi-tour aux abords de l'église du Saint-Sacrement. Au retour nous nous immobilisions souvent devant les mêmes vitrines. La fascination opérait sur nous semaine après semaine. Tranchée lumineuse et grouillante fermée par la montagne surmontée de la croix, cette artère s'opposait à elle seule à la vie exsangue de l'école dont nous reprenions le chemin comme des conscrits après une permission.

Nos divertissements n'étaient cependant pas toujours aussi innocents. Lorsque nous refaisions ce

même trajet pour la troisième ou quatrième fois
dans un court laps de temps, le désir de nous amu-
ser et de mettre du piquant dans nos promenades
inspirait à certains des idées plus corsées. Aucun de
nous n'avait des dispositions de kleptomane mais
l'occasion fait le larron. Les occasions ne man-
quaient pas rue Mont-Royal dans les magasins à
l'heure où la moitié du personnel est à la soupe et
l'autre moitié dévore des yeux l'horloge qui se traîne
les aiguilles autour du cadran. L'idée de voler fit
donc tout naturellement son chemin dans nos têtes.
Idée séduisante que celle de voler pour voler, pour
la beauté du geste, pour la bravoure qu'il demandait, une sorte d'acte sans motif autre que le plaisir
de le poser, acte gratuit dont Lafcadio, que nous
n'avions pas eu encore le privilège de connaître,
n'aurait peut-être pas rougi. La décision prise, restait à choisir l'objet de notre larcin, tâche ardue,
chacun devant y trouver son compte. Nous étudiions
ensuite les lieux, élaborions une stratégie, répétions
nos rôles, car à la préméditation nous ajoutions le
travail en bande. Voler ne nous intéressait que par
la mise en commun de la peur, de l'effort et de la
récompense. L'heure sonnait enfin où passer de la
théorie aux actes. Nous pénétrions dans le magasin
où à plusieurs nous distrayions un vendeur par des
questions, en faisant cercle autour de lui de façon
qu'il nous croie intéressés et surtout que sa vue soit
masquée dans une certaine direction où opérait
notre comparse. Lorsqu'on le voyait sortir, nous prenions congé poliment. Nous allions réfléchir. Nous
n'avions pas assez d'argent, nous allions revenir.
Une fois dehors, l'auteur du larcin exhibait le produit de l'opération qui passait nerveusement de
main en main. Moins d'un coin de rue plus loin
nous jetions souvent l'objet désormais sans intérêt.
Sage pratique du reste, que nous regrettâmes un
jour que, contrairement à notre habitude, nous fîmes

étalage et même distribution de notre butin. Nous
avions choisi ce jour-là comme cible de la gomme
à mâcher. Notre mise en scène était si bien rodée
que nous réussîmes à en subtiliser une pleine boîte,
une grosse, cent quarante-quatre cubes de gomme
rose enveloppé chacun dans du papier. Les jeter, pas
question. Les garder, pas question non plus car où
les aurions-nous cachés. Nous optâmes pour la solution généreuse entre toutes, la distribution gratuite.
Mal nous en prit. De retour dans la cour de l'école,
nous offrons à tout venant notre marchandise avec
tant de libéralité qu'en quelques minutes nous
l'avions complètement écoulée. Tout alla bien jusqu'au moment où, la récréation finie, nous retour-
nâmes en classe. Alarmées par le mouvement régulier de toutes les mâchoires mastiquant à l'unisson,
les autorités firent enquête. Le coupable fut bientôt
démasqué et sévèrement réprimandé. Il subit tout en
silence pendant que nous tremblions qu'il ne nous
dénonce, ce qu'il ne fit pas, grand seigneur jusqu'au
bout. Nous le regardions avec la honte de complices
assistant au départ de l'un des leurs pour le bagne.
Il s'appelait, et la chose est véridique, Papillon. Le
mauvais goût que nous laissa dans la bouche cette
aventure mit un terme à nos activités illicites.

La monotonie des semaines débitées en tranches
de quarante-cinq minutes dans lesquelles chaque
professeur nous donnait à avaler une ration de savoir
était parfois brisée par quelque événement exceptionnel. Un professeur de dessin nous honorait ainsi
de sa visite mensuelle. L'idée n'était pas mauvaise,
quoique descendant en droite ligne des temps révo-
lus où les jeunes gens de bonne famille apprenaient
les arts de compagnie, musique, danse, dessin, sous
la direction de spécialistes. Spécialiste ce professeur
l'était à coup sûr, dessinant à main levée ce que sa
fantaisie lui inspirait, et artiste aussi, comme sa

tenue vestimentaire nous le révéla dès sa première
visite. Alors que nos professeurs réguliers ne s'habil-
laient que de complets et de cravates sombres
oscillant entre le gris et l'anthracite, leur mise affichant d'entrée de jeu la gravité de leur fonction et
le sérieux de leur science, celui-ci s'amena vêtu d'un
complet vert eau sur lequel se découpait une cravate
rose. L'apparition nous laissa un moment incrédu-
les, saisis. L'instant d'après, le fou rire commença de
gagner la classe jusqu'au moment où, saisissant une
craie, il se mit à dessiner au tableau plus vite qu'on
ne pouvait suivre son geste. Certains avaient d'heureuses dispositions, un don jamais cultivé. Ce n'était
pas mon cas. J'aimais pourtant les couleurs mais je
n'arrivais pas à dessiner correctement ne fût-ce
qu'une pomme. Mes œuvres n'avaient pas la cote,
se méritant régulièrement les moins bonnes notes de
la classe. Néanmoins je persévérais. J'eus un jour ma
revanche d'une curieuse façon. Nous avions à peindre à la gouache un vaisseau spatial voyageant dans
l'espace, sujet qui emballa les plus habiles mais dont
la difficulté me consterna. Je finis par accoucher
d'une forme douteuse se détachant sur un fond bleu
poudre où j'avais appliqué, pour représenter les
étoiles, le bout de mon pinceau trempé dans du
blanc. Une horreur dans toute la force du terme! Au
cours suivant je remis mon chef-d'œuvre en même
temps que les autres. Le professeur nous occupa
pendant qu'il corrigeait nos devoirs. Soudain un cri
de stupeur brisa le silence et l'instant d'après je
m'entendis appeler d'une voix courroucée. Je
m'avançai penaud jusqu'à la tribune où j'aperçus
sur le pupitre mon dessin taché que regardait le professeur médusé tout en se nettoyant les mains bleu-
tées de son mouchoir. Arrivé à mon devoir, n'en
croyant pas ses yeux, il l'avait sans doute empoigné
à pleines mains. La gouache que j'avais utilisée
n'était pas de très bonne qualité, elle avait même

séchée au fond du pot et j'avais dû la délayer avec de l'eau avant de l'appliquer. Une fois séchée sur le papier, elle avait eu tendance à retrouver son état antérieur de poudre et avait adhéré aux doigts du professeur regardant ses mains avec le même dégoût que s'il les eût plongées par mégarde dans je vous laisse deviner quoi. Je m'attendais au pire en regardant mon dessin où se lisait distinctement l'empreinte de ses doigts. Alors l'homme sensible qu'il était comprit la nullité quasi métaphysique de mes dispositions pour son art et il me renvoya à ma place. J'eus cette fois-là une moins mauvaise note que d'habitude.

Ce professeur de dessin n'était pas le seul artiste de l'école. En classe de Méthode, celui de latin était surtout musicien. Ses origines hongroises y étaient certainement pour quelque chose. Émigré depuis peu de sa Hongrie natale à la suite de la sanglante répression soviétique, il s'exprimait cependant dans un français guttural singulièrement peu musical auquel notre oreille prit un certain temps à s'habituer. Sans doute encore traumatisé par son exil forcé, il communiait à l'âme de son pays par le canal de la musique. Aucun cours de musique n'était prévu au programme mais une heure par semaine était à contenu variable. Il sauta donc sur l'occasion de nous faire partager sa passion. Côté musique, nos goûts étaient frustres et quelque peu différents des siens, le Rock and Roll étant pour nous le nec plus ultra. Il s'amena donc un jour en classe avec l'unique phono de l'école dont c'était peut-être la première sortie de l'armoire cadenassée où il était précieusement conservé à l'abri des regards, le directeur se faisant un point d'honneur qu'on ne le vole ni qu'on ne l'utilise. Après une présentation de l'œuvre que nous allions auditionner, il mit le disque sur le plateau et... en avant la musique. Catastrophe, c'était du violon! Et en solo encore! Après quelques mesures notre mélomane de professeur avait déjà atteint le septième ciel, les yeux fermés, parti dans des régions inconnues de nous et où du reste nous ne tenions pas à le suivre. Le premier moment de surprise dissipé, certains en profitèrent pour se coucher sur leur pupitre et dormir. D'autres, plus espiègles, comprirent tout de suite le parti à tirer de l'état de lévitation du professeur. Règles et élastiques firent surface en un clin d'œil et les projectiles volèrent bientôt dans toutes les directions, quelques-uns ratant de peu le professeur toujours en extase. L'heure s'acheva néanmoins sans drame, l'artiste revenant sur terre le disque terminé. Content de l'expérience qui, pensait-il, avait été concluante — il croyait que nous avions écouté dans un silence recueilli alors que c'est la musique qui l'avait rendu sourd au chahut de la classe — il décida la fois suivante de frapper le grand coup qu'il méditait sans doute depuis le début. Plus d'intermédiaires, phono et disque, entre la musique et nous, mais le contact direct en la personne du violon en bois et en cordes qu'il sortit de son étui avec amour. Il était violoniste, et aussi grand violoniste que nous étions grands ignares, ayant été membre d'orchestres réputés dans son pays et s'étant recyclé dans l'enseignement du latin depuis son exil. Le concert commença. Si l'audition de disques l'avait emporté au septième ciel, il doit en exister un huitième où s'envolent les violonistes quand ils jouent de leur instrument. La guerre des élastiques reprit de plus belle, certains se levant de leurs places et s'avançant dans les rangées tout en se protégeant le visage de l'avant-bras pour tirer à bout portant sur leur victime. L'un de nous particulièrement indiscipliné et enhardi par l'absolue licence que la musique permettait monte soudainement debout sur son pupitre et se met à mimer le violoniste dans ses moindres gestes. Yeux fermés, tête inclinée, mouvements du visage, jeu des doigts et de l'archet sur les cordes, la ressemblance est totale entre le modèle à l'avant de la classe et le pitre à l'arrière. Emporté par son jeu, le mime oublie la présence à ses côtés d'une armoire adossée au mur et sur laquelle depuis toujours trônait un buste de plâtre. La musique se faisait à ce moment langoureuse et notre compagnon caricaturait le geste ample du violoniste en exagérant le mouvement de l'archet glissant sur les cordes. Il fit si bien que de son archet imaginaire il toucha le buste qui bascula et se fracassa sur le plancher. L'accident se serait-il produit dans un passage marqué *vivace assai* que le musicien ne l'aurait pas remarqué. Mais ce coup de tonnerre dans un ciel sans nuage le tira du paradis. Ce qu'il vit en ouvrant les yeux acheva de le réveiller tout à fait. Le malheureux mime apprit alors le sens de l'expression faire face à la musique, sa pitrerie tenue pour sacrilège aux yeux de celui qu'il avait pourtant si justement imité. Il se fit assez joliment sonner les cloches par le directeur mis au courant de toute l'affaire par le violoniste scandalisé.

L'expérience artistique la plus marquante, nous la devrons non à nos professeurs, même artistes jusqu'au bout des doigts comme ceux de dessin et de musique, mais à quelques-uns de nos condisciples, et d'un niveau inférieur en plus. De même que lorsque interrogé sur son âge un enfant répond cinq ans et demi, la demie étant tout aussi importante sinon davantage que les cinq ans, ainsi à mesure que nous gravissions les échelons de cette première moitié du cours classique tenions-nous à garder notre rang, considérant, en classe de Méthode, les élèves de Syntaxe avec dédain. Aussi en apprenant que lors d'une petite fête prochaine des élèves de Syntaxe joueraient devant toute l'école des extraits de pièces de théâtre, nous fîmes la fine bouche, riant à l'avance du four prévu, en fait enragés de nous voir damer le pion par de pareils avortons. Au jour dit, jamais public plus mal disposé n'attendit-il persifleur que ne se lève le rideau. Cette dernière expression n'est pas à prendre au sens littéral, attendu que de rideau il n'y en avait pas, non plus que de décor ni d'éclairage, la tribune de la grande salle noyée de lumière servant de scène improvisée. La petite troupe présentait des extraits de trois pièces de Molière, *l'Avare, le Bourgeois gentilhomme* et *le Malade imaginaire.* Qui était donc ce Molière qu'eux connaissaient et que nous n'étions censés étudier qu'en classe de Rhétorique? À l'insulte, ils ajoutaient donc la moquerie. Eh bien, nous leur ferions passer un mauvais quart d'heure, déterminés que nous étions à les instruire du second sens de l'expression être sur les planches. Nous n'en eûmes pas le loisir car, les planches, ils les brûlèrent avant que nous puissions les y clouer. Ce jour-là, et les autres où l'expérience fut reprise, un miracle se produisit, car peut-on désigner autrement la mutation instantanée d'un public férocement hostile en une salle enthousiaste applaudissant debout ceux dont quelques instants plus tôt elle s'apprêtait à allumer joyeusement le bûcher. Que s'était-il donc passé pour que nous soyons ainsi retournés comme un gant? Rien, sinon qu'une fois encore avait joué la magie du texte de Molière rendu avec feu par des comédiens étonnamment sûrs d'eux-mêmes malgré leur jeune âge. Diafoirus était ridicule avec son grand bonnet pointu, et Monsieur Jourdain et Harpagon ne l'étaient pas moins. Ces personnages s'agitaient sur la scène, et se chamaillaient, et criaient, et en venaient aux coups, et entraient, et sortaient, comme s'ils eussent été vrais, en sorte que c'est eux que nous applaudîmes et non les comédiens qui leur avaient prêté l'espace de quelques minutes leurs voix, leurs corps, leurs âmes. Ce n'est que lorsque leurs noms furent mentionnés sous les bravos que nous comprîmes avoir été hypnotisés, mais il était trop tard et du reste nous n'avions plus le cœur aux sarcasmes. Le plus applaudi fut, comme il se devait, le chef de la troupe, à la fois son meilleur comédien et son metteur en scène. Il s'appelait Brassard, et sa réputation a depuis longtemps franchi les murs de notre école.

Malgré l'exceptionnel de certaines journées, elles n'en venaient pas moins toutes mourir dans le désert des « études » de quatre heures quinze à cinq heures quarante-cinq. À ce moment de la journée où nous étions plutôt amochés, nous devions souvent fournir nos plus grands efforts. Chaque soir l'« étude » était consacrée à une matière différente, son titulaire se faisant un point d'honneur de nous embêter jusqu'à la dernière seconde. Par précaution, ils nous ensevelissaient de travail. C'étaient d'interminables versions ou thèmes latins, souvent offerts en macédoine, des dissertations françaises, des avalanches de problèmes de maths ou de chimie dont évidemment le professeur n'avait pas eu le temps de parler en classe et au milieu desquels on se dépêtrait comme on pouvait.

À intervalles réguliers ces « études » servaient aussi de champ d'opération pour les multiples examens de contrôle dont on nous accablait l'année durant. Dans ces conditions, certaines pratiques, répréhensibles par ailleurs, trouvèrent là un terrain propice à leur propagation. Le copiage prit à un moment des proportions alarmantes. Les autorités alertées montèrent la garde et plusieurs amateurs furent bientôt pris la main dans le sac, en train d'extraire de leur cartable des notes de cours. Vincent et moi avions mis au point un stratagème plus subtil et surtout davantage adapté à nos besoins respectifs. Vincent était aussi fort en chimie que je l'étais en latin. Dans des cas comme ceux-là, les économistes parlent de complémentarité. Le pupitre de Vincent étant situé à côté du mien à l'avant-dernière rangée de la classe, les échanges de part et d'autre de l'allée connurent un accroissement spectaculaire. Une version ou un thème latin apparaissait-il au menu de l'« étude » que j'en faisais mon affaire, Vincent prenant les choses calmement, se ménageant pour d'autres tâches. Le travail terminé, je le refilais à Vincent qui le recopiait en ayant l'intelligence de modifier la construction des phrases et de changer quelques mots. Les résultats étaient concluants, nous méritions régulièrement les meilleures notes de la classe. À charge de revanche! Une avalanche de problèmes de chimie fondait-elle sur nous que je ne paniquais pas, attendant patiemment que Vincent résolve ces énigmes auxquelles je ne comprenais rien. Et la contrebande refranchissait la frontière de l'allée cette fois en sens inverse. Et tout allait pour le mieux dans le meilleur des mondes, mes notes en chimie se comparant avantageusement à celles de Vincent en latin. Soit délation ou insinuation de la part de collègues pincés en plein travail ou tout simplement soupçons de la part des pions, la surveillance se resserra soudainement. Elle devint un soir particulièrement visible. Un examen de français accaparant ce soir-là toute l'« étude », le titulaire avait résolu de frapper un grand coup destiné à démasquer les contrebandiers de la copie. Ce fut lui qui fut bien attrapé et j'avoue, à sa décharge, que la riposte était impossible à parer. Sitôt le questionnaire distribué, et à l'encontre de la pratique habituelle qui voulait que le surveillant balaie du regard les tricheurs en puissance du mirador de la tribune, il vint ostensiblement se planter dans l'allée séparant mon pupitre de celui de Vincent, immédiatement derrière nous. Pas un seul instant ne quittat-il son poste d'observation, à croire qu'il avait pris racine dans le plancher, espérant peut-être à force d'immobilité que nous finirions par oublier sa présence et qu'un geste irréfléchi, réflexe conditionné, nous trahirait tôt ou tard. Tous suivaient du coin de l'œil le match serré se déroulant au fond de la classe. Vincent et moi fîmes comme si de rien n'était, appliqués comme jamais, le nez dans notre copie. Ah! mes gaillards, semblait-il penser, nous allons bien voir ce que nous allons voir! Et comment! Lorsque sonna l'heure de la remise des copies, ce fut les nôtres qu'il ramassa en premier pour bien s'assurer que nous n'allions pas le rouler *in extremis* pendant qu'il aurait le dos tourné. Vincent et moi riions sous cape, nullement inquiets des résultats. De fait nos deux examens reçurent respectivement les notes de 95% et 92%, de loin les meilleures de la classe. Dans le regard du professeur en nous remettant nos copies devant toute la classe, se lisaient une incrédulité mêlée d'admiration, un sentiment de culpabilité voisinant celui de la défaite. Il y avait de quoi! Le coup de filet avait raté de peu, pour une simple question d'horaire. La descente aurait-elle eu lieu un soir de chimie que j'étais cuit, un soir de latin que Vincent était fait. Elle eut lieu un soir de français, matière dans laquelle Vincent et moi excellions. Les économistes utilisent en pareille circonstance le terme de concurrence. De ce jour nous ne fûmes plus inquiétés par les gardes-frontières. Ils eurent bien tort.

Aussi longues les journées étaient-elles, les aiguilles n'en trottaient pas moins inlassablement autour du cadran et l'heure de la délivrance finissait par arriver. D'octobre à avril il faisait déjà noir. Vincent, Raymond, Daniel et moi nous attendions à la sortie car, habitant tous le nord de la ville, nous faisions route ensemble la majeure partie du trajet.

En quittant l'école nous marchions boulevard Saint-Joseph jusqu'à Papineau. À peine étions-nous dehors que le goût de fumer nous prenait. La cigarette de six heures moins quart avait des relents de liberté enivrants. Si tous avaient envie de fumer, rares étaient ceux qui achetaient régulièrement des cigarettes, faute d'argent. La plupart du temps on en empruntait quelques-unes à nos parents. À cette heure de la journée, elles étaient depuis longtemps envolées en fumée. Vincent en possédait cependant toujours une abondante provision et, généreux de nature, il en distribuait à la ronde. Il ne les achetait pas, il les confectionnait. Un large sourire éclairant sa figure de lune, il ouvrait son porte-cigarettes en argent, merveilleux dyptique où étaient soigneusement rangées de belles « rouleuses » de fabrication domestique. Nous faisions cercle et, chacun notre tour, nous extirpions de la boîte au trésor un petit bâtonnet. Chaque nuit l'étui magique se remplissait, chaque jour nous le vidions, et jamais n'ai-je vu Vincent maugréer contre ce pillage quotidien. Fumer ces cigarettes n'était cependant pas de tout repos. C'étaient de bonnes grosses cigarettes que Vincent roulait lui-même avec l'appareil de son père et qu'il bourrait au maximum d'un tabac brun presque noir, très fort. Elles étaient tellement dures et compactes que les muscles de nos joues en tiraient avec peine de la fumée. Souvent elles s'éteignaient et Vincent sortait alors son briquet à pipe, son « brulôt » comme nous l'appelions, toujours en parfait état de marche, la pierre régulièrement changée, la soute pleine d'huile, et une flamme haute s'élevait contre le vent autour de laquelle nous refaisions cercle un instant avant de reprendre notre route vers l'arrêt du tramway Papineau.

Nous ne prenions toutefois que rarement le tramway, préférant « faire du pouce ». Ce mode de transport souvent plus rapide que l'autre permettait en cas de réussite de réaliser l'économie des quelques cents que coûtait le ticket de tramway. Mais surtout nous tentaient l'aventure, et la compétition aussi. Coin Papineau et Saint-Joseph, des feux de circulation arrêtaient le flot des automobiles. Nous nous partagions en groupes de deux, faisant d'ordinaire équipe avec le même compagnon. Une rivalité farouche s'installait alors que nous nous faufilions entre les autos arrêtées, sollicitant de nos pouces gelés le droit d'ouvrir la portière. Notre champ d'opération s'étendait de Saint-Joseph à Gilford. Ce territoire de chasse se divisait en deux parties, la première près de Saint-Joseph, la seconde près de Gilford. L'équipe Gilford avait l'avantage d'être vue en premier par les automobilistes mais ces derniers hésitaient parfois à arrêter avant les feux de Saint-Joseph, en sorte que souvent cette équipe levait des lièvres dont l'équipe en aval bénéficiait. Si la déception était alors grande dans l'équipe Gilford, jamais ses membres n'auraient osé enfreindre la règle sacrée de la corporation: le client appartenait à l'équipe expressément invitée par lui à monter à bord de son véhicule. L'équipe Gilford se consolait en occupant désormais tout le territoire à moins que de nouveaux concurrents surviennent en remplacement de ceux qui étaient disparus. Elle avait en d'autres occasions la vengeance douce. Grâce à sa position prioritaire elle prenait souvent au vol un automobiliste qui filait ensuite outre à Saint-Joseph. Les deux équipiers confortablement enfoncés dans la voiture passaient, sourire aux lèvres, devant leurs malheureux concurrents continuant de battre le pavé. Chacun faisait alors semblant de s'ignorer, ceux à l'intérieur de la voiture ne désirant pas partager leur client avec leurs rivaux qu'ils regardaient néanmoins du coin de l'œil pour savourer d'être vus triomphants, les perdants détournant ostensiblement la tête

devant ce signe de la défaite mais jetant néanmoins un furtif regard d'envie. L'équipe prenant
la première le départ n'était pas forcément la gagnante. Une fois à bord, on s'informait de la destination du conducteur. Celui-ci s'arrêtait souvent
à Rosemont, à Beaubien, à Bélanger. Tout était
alors à recommencer et dans des conditions parfois
moins favorables qu'à l'intersection Papineau-
Saint-Joseph. Certains coins de rue avaient mauvaise réputation, soit que les feux de circulation
synchronisés favorisaient plutôt qu'ils ne ralentis-
saient le flot des voitures, soit que pour quelque
raison inconnue les automobilistes étaient dans ces
endroits plus réticents à prendre des voyageurs.
Échoués à l'une de ces intersections, nous pouvions
y rester en panne un long moment, calamité que
nous essayions d'éviter en demandant au conducteur de nous larguer un ou deux arrêts précédents
plus propices à la pratique de notre art. Malheureusement certains conducteurs, totalement inconscients de nos difficultés et pour qui un coin de rue
en valait un autre, emportés par la circulation et
par leur désir de bien faire, nous déposaient comme en plein désert après s'être allongés d'un coin
de rue au dernier moment, nous souhaitant le bon-
soir, un sourire de contentement aux lèvres, tout
heureux de leur bonne action dont nous mettions
parfois une demi-heure à nous remettre. L'équipe
ayant pris un départ tardif à Saint-Joseph avait ainsi
l'infini satisfaction de doubler les deux équipiers
adverses maintenant en carafe à Saint-Zotique et
dont la mine resplendissante de tout à l'heure était
désormais défaite. À nouveau les regards s'évitaient,
à peine un geste aussi discret que narquois de la
main saluant au passage les vaincus. Dans cette
course à relais les équipes se dépassaient ainsi à
quelques reprises avant de finalement se perdre de
vue. Il arrivait cependant que l'on ne voie plus du

trajet les deux équipiers adverses. Ils étaient tombés sur le bon samaritain qui les amenait d'un seul trait jusqu'à Fleury ou Henri-Bourassa. Quelquefois même le conducteur allait dans la direction exacte de notre maison, nous conduisant littéralement à la porte, exploit dont nous nous vantions le lendemain comme si nous y étions pour quelque chose alors qu'il ne s'agissait que d'un coup du sort.

Comme nos interminables journées finissaient néanmoins toutes par finir, il arriva un jour où le terme de cette première moitié du cours classique fut en vue, à notre grande surprise. En route depuis si longtemps, nous nous étions habitués à ce voyage immobile, nous obéissions sans nous interroger, somme toute heureux d'être ainsi pris en charge, nullement troublés de la suite des choses. Aussi la nécessité de nous inscrire en septembre suivant dans un collège privé nous frappa-t-elle de plein fouet. Le bonheur c'est le malheur apprivoisé. Depuis bientôt quatre ans nous avions patiemment tissé autour de nous un réseau d'habitudes dont il faudrait nous détacher, comme quatre ans plus tôt nous nous étions arrachés au milieu de l'école primaire. Cette transplantation harassante durerait-elle toute notre vie? Choisir un collège! Sous notre regard profane, tous se ressemblaient, leur philosophie de l'éducation s'équivalant. Grave erreur qui explique que le choix de notre bande se fonda sur des facteurs superficiels, preuve tangible de l'échec de notre formation qui, loin de développer notre autonomie, nous laissait au contraire totalement démunis devant la première décision concrète à prendre. La couleur de la brique et l'architecture de l'un, pourtant le plus près de nos domiciles, ne nous plaisant pas, il fut impitoyablement retranché. Un autre de meilleure apparence extérieure fut néanmoins rejeté car d'accès difficile. Un troisième, jouis-

124 SOUVENIRS D'UN ENFANT DE CHŒUR

sant au plan académique d'une solide réputation, fut éliminé d'office parce que situé dans un environnement désagréable et composé de vieux bâtiments. Il nous fallait du moderne. Ainsi l'emporta un collège de construction récente, blotti dans un quartier cossu, abrité sous les arbres. L'enveloppe était belle. Cela nous suffit. Nous aurons quatre longues années pour découvrir un peu tard que tout ce qui brille n'est pas or.

# L'angélique et
# l'incrédule

Autant la section classique m'avait rebuté au début, les choses s'améliorant par la suite, autant le collège m'impressionna favorablement dans un premier temps puis me déçut amèrement. De construction récente, les bâtiments de couleur claire étaient tapis au milieu de la végétation de deux parcs. Dans le premier, un pavillon se dressait sur une île entourée d'un bassin circulaire et reliée à la terre ferme par un pont en dos d'âne. Sur l'île et autour du bassin, des saules, des marronniers, des érables, des tilleuls, des massifs de fleurs, une nature civilisée, aménagée, culminant en courts de tennis soigneusement ratissés à l'ombre de grands ormes. L'autre parc, vaste surface carrée plantée d'arbres et de bosquets, était parcouru de sentiers menant à une fontaine. Tout autour s'alignaient des avenues ombragées bordées de résidences noyées dans la verdure. Avant notre inscription dans ce collège nous ignorions tout de l'existence des classes sociales, personne ne nous en ayant fait la révélation et nos déplacements s'étant à notre insu situés jusque-là à l'intérieur d'un même périmètre idéologique et social. Malgré leur éloignement et leurs différences apparentes, les rues Beaubien et Berri, les quartiers Ahuntsic et Plateau Mont-Royal se ressemblaient. Celui du collège, refuge d'une mafia autochtone mâtinée d'éléments allogènes, fit notre religion sur le chapitre de la lutte des classes. Il nous apparut tout d'abord comme un enchantement. Que tout était beau, verdure et maisons confondues, nulle usine, nulle industrie, nul commerce ne faisant tache! Même les autos obéissaient à la consigne du silence. Comme il devait faire bon vivre ici! Nous admirions ces luxueuses demeures dont leurs propriétaires manifestaient de toute évidence pour la vie des dispositions inconnues des résidents des autres quartiers. Inconscients de la dimension économique de l'opération, nous pensions que ces heureux mortels devaient cet environnement agréable à leur sensibilité, à leur culture, à leur goût plus raffinés, non à leurs richesses! Ce havre de beauté traduisait tout naturellement leur suprématie intellectuelle et justifiait leur supériorité matérielle. L'ordre normal des choses était respecté! Ignorant tout de nos origines prolétariennes et plongés sans avertissement dans le milieu de la petite et moyenne bourgeoisie, nous affichions ainsi les deux réactions classiques du colonisé en pareille circonstance, l'admiration des représentants de cette classe dont la légitimité ne soulevait aucune question et, sur fond de honte et de mépris de nous-mêmes, le désir naissant de ressembler à ces gens-là.

À l'aller et au retour du collège, nous sautions une frontière, quittions un monde pour un autre. Jusqu'à l'intersection Papineau-Beaubien, le trajet était pourtant le même que celui de la section classique. Arrivés là, nous montions à bord de ces trolleybus dont le fonctionnement m'avait tant fasciné plus jeune mais que j'assimilais à de sombres et inconfortables submersibles maintenant que je m'y enfermais soir et matin. Vus de l'intérieur des hublots, les ventilateurs de *Paul's* étaient sordides, la résidence funéraire Duquette prétentieuse, le restaurant Comte minable. Sur le balcon du deuxième, aucun enfant ne se cramponnait à la balustrade, les yeux grands ouverts sur le spectacle de la rue. Seuls l'église et son campanile, immuables dans le temps, étaient toujours d'une laideur égale. La Plaza Saint-Hubert, la rue Saint-Denis, *Faucher, le Roi des bas prix*, c'était le Plateau Mont-Royal en plus agressif. L'inconnu commençait à Saint-Laurent où s'engageait le trolleybus. Au-delà du viaduc Bellechasse nous pénétrions dans des contrées étrangères où grouillaient, entassées dans des ghettos, des populations bigarrées, grecques, italiennes, turques, juives, portugaises, espagnoles. Nous traversions ces pays exotiques comme des touristes à l'abri dans leur car, le regard ironique pour cette plèbe avec laquelle nous ne désirions pas entrer en contact. Nous descendions à l'avenue du Parc, ruisseau franchi d'un bond de peur de nous souiller, et nous nous enfoncions prestement dans la forêt outremontaise. Les premières avenues accusaient encore les traces de leur proximité avec les quartiers populaires, puis l'air devenait plus respirable encore que nous croisions souvent en chemin des familles juives, les enfants aux cheveux boudinés et la calotte sur la tête, les hommes vêtus de longs manteaux noirs et coiffés, même par temps chaud, de chapeaux ronds bordés de fourrure. Du moins avaient-ils la politesse de ne pas nous adresser la parole. Ainsi ce collège pourtant douillettement enfoui dans les replis d'un quartier dont il était le miroir et qui y envoyait ses enfants parfaire leur bonne conscience de maîtres agira-t-il pour nous comme un révélateur social. Aurions-nous habité plus à l'ouest que nous n'au-

rions pu mesurer chaque jour les limites de l'encla-
ve. Venant des quartiers ouvriers de l'est, nos migra-
tions quotidiennes nous instruiront de ce qu'on ne
nous enseignait pas au collège.

Notre arrivée en classe de Belles-Lettres ne se
déroula d'ailleurs pas sans heurt. Nous étions cette
année-là une douzaine à provenir de la section classique. Nous prenions le train en marche et les voyageurs déjà à bord nous regardaient avec mépris,
encouragés tacitement par la direction qui, ne pouvant refuser les clients, acceptait cependant à regret
le métissage de recrues aux origines douteuses. À
certains égards nous souffrions en effet difficilement
la comparaison avec les habitués de la maison. Interrogés sur la profession de notre père, nous répon-
dions garagiste, menuisier, facteur, fonctionnaire,
vendeur, jamais médecin, notaire, avocat, industriel.
Nous n'habitions ni Outremont, ni Ville Mont-Royal,
ni Côte-des-Neiges. Notre garde-robe ne se renouve-
lait pas souvent, nos vêtements, propres mais sans
recherche, toujours les mêmes. Nous ne pratiquions
pas le ski dans les Laurentides et les Cantons de
l'Est les mercredis après-midi et les fins de semaine.
Ni le golf d'ailleurs. Nous ne venions jamais au
collège au volant de l'Oldsmobile ou de la Buick
paternelle. L'été, au lieu de voyager en Europe, nous
demeurions à Montréal, heureux de travailler à
vingt-cinq ou trente dollars par semaine. Nous découvrions pour la première fois de notre vie l'importance de l'argent. À l'école primaire et à la section
classique nous étions tous semblables et, n'étant jamais sortis de notre milieu, nous croyions naïve-
ment que tout le monde était à notre image. Tel
n'était pas le cas, nous en avions maintenant des
preuves chaque jour. Plusieurs de nos nouveaux
compagnons habitaient les résidences environnantes. Des catégories existaient donc parmi les hommes

et, contrairement à ce qu'on nous avait toujours donné à entendre, les facteurs de distinction étaient davantage matériels qu'intellectuels. Incapables de lutter sur le terrain de l'adversaire, nous fîmes la seule chose que nous sachions faire: travailler dur. Au premier bulletin de notes, une mini-révolution secoua le collège: les immigrants détenaient presque toutes les premières places. Dès lors nous fûmes acceptés, intégrés au tissu collégial, encore que les cicatrices de la greffe ne disparurent jamais complètement. Malgré lui ce collège à l'atmosphère si raréfiée que nous mourrions presque d'asphyxie nous révélera une réalité dont nous soupçonnions d'autant moins l'existence que jusque-là tout nous en avait détournés.

Si pour s'épanouir l'esprit doit être logé dans un corps suffisamment nourri et vêtu, il n'en suit pas nécessairement que les bien nantis abritent des esprits éclairés. Entre la section classique et le collège existait tout l'écart entre le strict nécessaire et l'opulence. À cause de la situation minoritaire des religieux, il régnait cependant à la section classique une ouverture d'esprit, fragile certes, mais appréciable en comparaison du militantisme de l'école primaire. Hormis la messe du premier vendredi du mois à laquelle toute l'école assistait en fin d'après-midi, ce qui supprimait du moins l'« étude », et les visites occasionnelles d'un aumônier de corvée qui ne s'attardait pas longtemps dans nos murs, se contentant de toucher son jeton de présence, nous avions la paix côté religion. Mais l'Inquisition sévissait toujours au collège sous la coupe d'une communauté de clercs particulièrement obtus en matière de tolérance religieuse. Dès la première semaine de cours en septembre, et la chose se répéta en chaque début d'année, les autorités nous prenaient en mains, du moins le croyaient-elles, par le moyen d'une retraite obligatoire. Pendant deux ou trois jours les sermons succédaient aux sermons, entrecoupés de prières à la chapelle et de séances de réflexion. La journée de clôture, la trinité confession, messe, communion servait d'apothéose. Au sortir des deux mois de vacances estivales pendant lesquelles nous nous étions certainement vautrés dans la luxure, car existait-il d'autres péchés que celui-là aux yeux de nos professeurs-prédicateurs, on voulait s'assurer par une lessive à l'ammoniaque que nous ne risquerions pas d'introduire *intra muros* les germes de quelque épidémie susceptible de contaminer la population entière.

Au terme de cette retraite, on nous invitait tout d'abord, puis si nécessaire on nous intimait l'ordre de choisir de toute urgence un directeur spirituel parmi le personnel de la maison dont on nous fournissait une liste des noms. Devant notre ignorance en la matière, on nous expliqua que ce mentor des âmes serait notre conseiller en toute matière dont nous voudrions le saisir. Une visite mensuelle était fortement conseillée. Pour s'assurer que chaque brebis ait son pasteur attitré, on nous demanda de remettre par écrit le nom de l'élu. Ne connaissant personne, nous écrivons alors un nom au hasard, en espérant que les choses en restent là. Quelque temps après des billets de convocation commencèrent de circuler, sur lesquels il était écrit que le Père X (celui-là que nous avions désigné) désirait nous rencontrer à son bureau, tel jour, telle heure. Les premiers appelés furent bombardés de questions à leur retour. Leurs réponses variaient selon le directeur vers lequel le sort les avait conduits. Certains étaient tombés sur des vieillards égrotants, secs comme leurs os, qui les avaient entretenus de leurs fins dernières. D'autres sur des sanguins qui martelaient leurs recommandations en assenant de grands coups de poing sur leur pupitre. D'autres sur des subtils qui disséquaient la moindre peccadille portée à leur attention, saisissant l'occasion de ce public captif de disserter *ad infinitum*. Un jour me parvint un billet de convocation. Je feignis n'avoir rien reçu et ne me présentai pas au rendez-vous. Le lendemain je dus m'expliquer au préfet. Je prétextai un oubli. Nouvelle convocation à laquelle cette fois il était malaisé de me soustraire. « Mon » directeur était un jeune loup qui se donnait bon genre: il offrait à son visiteur sitôt entré une cigarette d'un paquet ouvert en permanence sur son bureau, se balançait dans son fauteuil, parlait de tout et de rien, l'air détaché, le sourire aux lèvres, copain-copain. J'ai un sixième sens pour détecter l'hypocrisie. Je ne mis pas long à découvrir qu'il l'avait virulente, et écrite en majuscules dans le front. Comme tous ses semblables il était au service de l'entreprise de renseignement et de délation qui informait constamment les autorités collégiales des mouvements en gestation et permettaient ainsi de les écraser dans l'œuf. À l'encontre de ses comparses cependant, dont la majorité vivaient dans l'attente du retour au Moyen-Âge comme les Juifs du Messie, il sentait que le vent commençait de tourner. Son carnet mondain bien rempli le mettait en contact avec des gens de la bonne société, ce dont il se vantait. Il s'efforçait de distraire son interlocuteur de la soutane qu'il portait. Il réussira d'ailleurs si bien à faire oublier son statut de religieux qu'il finira par l'oublier lui-même et défroquera un jour. Dieu ait son âme! Je répondis néanmoins sèchement à ses questions à double fond, refusant de jouer le jeu et de ménager au moins les apparences. En prenant congé, je lui dis ne pas voir la nécessité de tels entretiens. Mon attitude lui fit manifestement de l'effet. D'autant moins habitué à être percé et contesté qu'il affichait la politique de la main tendue, et inquiet que la chose ne s'ébruite

auprès de ses pairs aux yeux de qui il passait pour
une puissance montante promise à un poste de direction dans la communauté, il eut la sagesse de ne
plus me faire tenir de billet de convocation. J'eus de
mon côté la prudence élémentaire de ne pas étaler
ma réussite sur la place publique.

Ce premier succès m'indiqua que, malgré les
apparences, la cuirasse de l'adversaire n'était pas
sans défaut. Le jeu était cependant dangereux, la
direction du collège disposant toujours de l'arme
suprême, le renvoi de l'élément frondeur au beau
milieu de l'année scolaire. Le malheureux sur qui
s'abattait cette sorte de lettre de cachet n'avait alors
de recours que de frapper à des portes qui s'ouvraient d'autant moins facilement qu'elles étaient
gardées par d'autres religieux qui s'enquéraient
auprès des premiers de la raison du renvoi. Le
rebelle était souvent refusé dans plusieurs maisons
qui, comme autant de compagnies d'assurances, se
refilaient les dossiers à risques trop élevés. Comme
tout pouvoir, celui-là ne pouvait se permettre de
perdre la face. Je la lui fis pourtant perdre mais
quatre ans plus tard, en dernière année, moi-même
devenu une puissance collégiale capable de se payer
un caprice. Chaque vendredi, il y avait messe obligatoire dans la chapelle du collège. À mesure que
les années passaient, nous nous conformions à cet
article du règlement avec de plus en plus de réticence. C'était cependant un point névralgique dont
toute contestation risquerait de déclencher une
guerre ouverte. À force de ruse patiente, nous finî-
mes par amener les autorités à accepter de discuter
au moins en théorie le caractère obligatoire de la
messe du vendredi. Amorcée sur cette base, la discussion ne pouvait que tourner à notre avantage, la
direction coincée entre le maintien d'une contrainte
odieuse et une mesure de libéralisation capable de

lui refaire une beauté. Les dents serrées, elle joua donc les grands seigneurs, escomptant gagner sur deux tableaux, être obéie et être aimée, fabuleuse quadrature du cercle. L'assistance à la messe devint donc libre, du moins pour les élèves des classes supérieures. Le vendredi suivant sembla confirmer que la décision prise était la bonne, la chapelle bondée comme à l'habitude. Une semaine passa. Nous étions en mars, la patinoire dans la cour du collège était invitante, le soleil plus ardent. Plusieurs parmi nous se passèrent le mot: à l'heure de la messe, il y aurait partie de hockey. Ainsi montèrent simultanément vers le Très-Haut les prières de fidèles aux effectifs singulièrement décimés et les cris de joueurs de hockey qui avaient enfin rompu la glace. Les autorités impuissantes bouillaient de rage mais, pendant les quelques mois nous séparant de la fin de l'année et du cours classique, elles durent en ravaler l'écume qui leur bavait néanmoins aux commissures des lèvres.

Victoire ridicule cependant en regard du programme de cours qui pesait sur nous comme un joug et contre lequel nous ne pouvions presque rien tenter. Les deux dernières années du cours classique, dites Philo I et II, furent pour beaucoup d'entre nous deux années bêtifiantes couronnant une offensive de déformation de l'esprit d'autant plus condamnable que savamment orchestrée, deux années terminales ainsi désignées parce que, moribonds, nous touchions au terme d'une agonie de huit ans. Sauf de rarissimes exceptions nos professeurs étaient des ignares dont le savoir était inversement proportionnel à leur suffisance illimitée. On nous administrait sept heures par semaine de cours de philosophie. Par philosophie, entendons, à l'exclusion de toute autre, la philosophie thomiste codifiée une fois pour toutes pour l'abrutissement de générations d'étudiants par le Docteur angélique lui-même, Thomas d'Aquin, dans sa *Somme* dont la qualité première est d'être assommante. Le premier trimestre de Philo I tout entier roula sur l'étude de la Logique dont l'enseignement était confié à un clerc aussi bouffi de complexes que vide de pensée. C'était un crétin de gros calibre qui aspirait à succéder, à sa retraite, au titulaire de Philo II dans ses fonctions de responsable de la philosophie. Il se contentait pour l'heure de prendre de la bouteille. Sa corpulence épousait d'ailleurs malicieusement les formes d'une outre, ballon de chair molle en équilibre instable sur deux pieds arrondis et surmonté d'un goulot allongé d'où émergeait un crâne aplati en guise de bouchon. L'équivoque marquait les rapports entre le maître et le disciple, les deux se professant un respect mutuel qui dissimulait mal l'envie de l'un que le second lui cède la place, et le mépris de l'autre pour son éventuel successeur à qui il confiait les basses œuvres. Il y apportait une diligence de tâcheron, exigeant que nous régurgitions mot à mot, dans les multiples examens de contrôle grâce auxquels il assoyait son autorité, les textes que nous devions mémoriser comme autrefois les réponses du petit catéchisme. Apprendre à penser, analyser librement une question sous tous ses angles, proposer une solution originale conforme à notre vision personnelle, voilà qui était interdit. Nous devions reproduire sans en changer un iota la pensée d'un autre érigée une fois pour toutes en modèle. Chaque chose à sa place et une place pour chaque chose, tel semblait être le principe directeur de la vision du monde médiévale que l'on nous présentait comme contemporaine. Tout avait déjà été dit par le Docteur angélique qui avait christianisé Aristote, et nous venions trop tard.

Si grande était la méfiance à l'endroit de l'écrit,

que rarement nous mettait-on entre les mains les textes originaux et intégraux des auteurs pourtant au programme. Comme dans le Québec catholique de l'époque la Bible était absente des familles car s'y trouvaient des passages pour adultes avec réserves, de même au collège régnaient les morceaux choisis. Pendant nos années de philosophie thomiste nous n'aurons jamais accès au texte original de la *Somme* mais à du Thomas d'Aquin revu et corrigé par des commentateurs accrédités qui avaient rédigé des manuels à partir de la *Somme* à laquelle ils se référaient constamment dans leurs citations. Nous commentions donc les commentateurs sans jamais avoir lu le texte premier, nous enfonçant dans des marécages de glose inextricables. Le texte original était ainsi posé comme un idéal inaccessible et, en raison de sa perfection même, il demandait à être avalé à petites doses et d'avoir été digéré au préalable par un ou deux estomacs intermédiaires, le nôtre jugé impropre à ingurgiter si riche nourriture. Chose plus grave s'il est possible, la pensée de Thomas d'Aquin nous était donnée comme une révélation d'autant plus indiscutable qu'elle s'appuyait sur les principes de la foi catholique. La remettre en question équivalait alors à une hérésie. Défense absolue de nous écarter, fût-ce d'un pas, de la pensée officielle.

La note de nos examens sanctionnait notre capacité de régurgiter au mot à mot les points de doctrine sur lesquels portaient les questions. Les dissertations servaient par ailleurs à vérifier l'orthodoxie de notre pensée. Émettre des opinions personnelles était risqué, et la plupart du temps mal vu et mal noté, comme si la fonction première des cours, des examens et des travaux était de briser chez nous toute autonomie de réflexion et de nous habituer pour le reste de notre vie à nous en remettre dans ces matières comme dans les autres aux directives de nos supérieurs, seules personnes autorisées à porter des jugements et prendre des décisions. À l'occasion d'une dissertation dont je ne me souviens d'ailleurs plus du sujet, je pris le parti d'attaquer le problème de front. Depuis quelque temps, évidemment en dehors des cours, j'avais lu certains ouvrages de Voltaire dont le discours intelligent, spirituel, incisif m'était un baume en comparaison de la lourdeur pachydermique des épigones thomistes. M'avaient particulièrement séduit ses propos sur la tolérance et la relativité de toutes choses et, au premier chef, de la philosophie dont il était pourtant l'un des plus brillants représentants. Je rédigeai donc mon travail d'une encre acide, m'employant à avancer des idées fortement imprégnées par l'esprit caustique du philosophe français, prenant la défense de Thomas l'incrédule contre Thomas l'angélique, louant le scepticisme du premier et mettant en doute les affirmations du second. Je poussai même l'audace jusqu'à placer en exergue à mon travail la boutade du sage de Ferney qui affirme que « philosopher c'est peser des œufs de fourmis dans des balances de toiles d'araignées ». Devant mon insolence la baudruche éclata et se répandit en lamentations. Mon travail non corrigé reçut néanmoins comme note zéro et je fus mandé chez le préfet des études à qui l'outragé s'était plaint de mon attaque et avait demandé réparation. Une trêve fut finalement signée aux termes de laquelle j'échangeais mon silence contre la paix retrouvée. Mais lorsque nos regards se croisaient par la suite, la rougeur lui colorant les oreilles m'indiquait que mon coup avait porté et que, malgré l'épaisseur de son épiderme, je l'avais piqué dans le maigre.

L'année suivante nous eûmes affaire au grand-prêtre. C'était un bouquetin au poil blanc et à la voix flûtée, maniant ses concepts comme autrefois le

Frère Georges ses papillons. L'existence des êtres et des choses ne l'intéressait que médiocrement, attiré plutôt par leur essence qu'il appréhendait avec des rougeurs de vestale. Il entrait avec délices dans des raffinements de distinctions à côté desquelles celle du sexe des anges est d'une lumineuse simplicité, affichant en toute discussion la hauteur olympienne de celui qui sait sur celui qui ne sait pas. Il perdit pourtant un jour son beau calme. La fin de l'année approchait. Devant nos questions répétées sur d'autres philosophies que la thomiste, il glissa quelques mots sur Descartes, Kant, Leibniz, et nous permit de présenter comme sujet d'exposé oral un philosophe de notre choix. L'un de nous s'amène le jour de son exposé, une masse de documents sous le bras, et nous annonce qu'il va nous entretenir du philosophe allemand Heinz Goerling. Personne parmi nous ne connaissait ce Goerling. Apparemment ce nom était aussi étranger au professeur qui demanda à l'étudiant de le répéter. « Goerling », reprit ce dernier avec assurance, « Heinz Goerling ». — « Ah oui », répliqua alors le professeur semblant se raviser, « je me souviens vaguement, mais ça me reviendra en vous écoutant. » Et l'exposé démarra sur une biographie sérieuse, bien documentée, le professeur improvisé sortant à point nommé pour appuyer ses propos comme autant de lapins d'un chapeau des photos de Goerling enfant, de Goerling adolescent, adulte, vieillard. Nous retenions notre souffle, on aurait entendu une épingle tomber par terre. C'était, et de très loin, le meilleur exposé. Même le vrai professeur assis à l'arrière de la classe opinait du bonnet. L'édifice s'écroula subitement. La biographie terminée, le conférencier décrivait maintenant la pensée du philosophe telle que présentée dans son célèbre ouvrage paru récemment en traduction française sous le titre *Les pieds dans le soleil*. La mention de ce titre alluma des sourires qui bientôt

s'embrasèrent en fou rire lorsque notre compagnon
précisa que le supposé Goerling avait conçu sa réflexion philosophique étendu sur une planche, nu
comme un ver, la tête en bas et les pieds tournés
vers le soleil dont les rayons lui pénétrant par les
orteils irradiaient ensuite jusqu'à son cerveau. Il
avait tout inventé. La supercherie enfin manifeste fit
bondir un peu tard de son siège le polichinelle.
« Sortez, monsieur. Sortez. » Seule la proximité de
la fin de l'année empêcha notre camarade d'être
renvoyé du collège. Interdit de séjour en classe de
philosophie, il supporta son exil avec courage. Sa
victime ne se remit jamais de ce coup. Elle avait
l'air hébété de qui souffre d'insolation.

Semblable absence au réel caractérisait l'enseignement de presque toutes les matières comme si le
but visé était la production d'êtres désincarnés,
voire de purs esprits. Rien ne laissait deviner dans la
vie collégiale que, à l'extérieur, des débats farouches
agitaient la société québécoise. Toutes fenêtres fer-
mées, nous traversions le début de la Révolution
tranquille. La politique, la religion, l'éducation, les
affaires sociales, les richesses naturelles, autant de
sujets que nous n'abordions jamais en classe, ni
entre nous du reste. Nous vivions en vase clos, cou-
pés de la réalité environnante. Le mot Québec n'était
pour ainsi dire jamais prononcé et par Québécois
nous entendions les habitants de la ville de Québec.
Bacheliers à vingt ans, nous aurions été incapables
de nommer un seul écrivain d'ici ou de rappeler à
gros traits les événements de 1837-38 pour la simple
raison que nous n'avions jamais eu un seul cours de
littérature québécoise. On nous fit acheter une année
le *Manuel d'histoire de la littérature canadienne de
langue française* de Mgr Camille Roy que nous
n'avons pas ouvert, notre professeur ne l'ayant jamais lu, encore moins les œuvres dont il y est fait

mention. Nous n'avons jamais demandé la mise sur pied de cours de littérature québécoise, la production indigène considérée quantité négligeable, dévalorisée d'entrée de jeu, indigne d'être comparée aux chefs-d'œuvre étrangers. Inversement, toute production exotique jouissait de façon tout aussi absolue d'un préjugé favorable. Nous vivions ici, mais n'étions pas d'ici, en transit vers un ailleurs inconnu.

La matière des cours de français était divisée par siècles et répartie selon les années. Le XIX\ :sup:`e` siècle était étudié en classe de Belles-Lettres, les XVII\ :sup:`e` et XVIII\ :sup:`e` en Rhétorique, le XX\ :sup:`e` en Philo I. À nouveau sévissaient les manuels et les morceaux choisis, les œuvres dans leur entier n'étant jamais discutées en classe, certaines, et non les moindres, passées complètement sous silence. Le premier trimestre de Belles-Lettres fut ainsi consacré à des textes de Chateaubriand, en extraits évidemment: *Atala, René, le Génie du Christianisme* surtout, et quelques passages des *Mémoires d'outre-tombe* tirés de l'enfance bretonne. Le professeur insista lourdement par la suite sur la poésie romantique de la période 1820-1830, le premier Hugo, *le Lac* de Lamartine que nous récitions par cœur. Pas un mot en revanche sur Balzac, Flaubert, Stendhal, Maupassant, Zola, parmi les oubliés les plus notoires, et à peine quelques miettes sur Baudelaire et Rimbaud. Même escamotage l'année suivante: Pascal et Descartes fortement mis à contribution, Corneille et Racine un peu moins, Molière pas du tout. Les auteurs du XVIII\ :sup:`e` siècle seront rapidement survolés en bloc, en pratique laissés pour compte. Sur ces entrefaites s'ouvre au sous-sol du collège une coopérative étudiante offrant à prix alléchants, livres, disques, équipement sportif. À la récréation du matin je m'y rends et j'aperçois sur les rayons *le*

*Siècle de Louis XIV* de Voltaire en livre de poche, titre que j'avais déjà repéré dans notre manuel. J'achète l'ouvrage et je retourne suivre mes cours. Que s'est-il passé dans les heures qui ont suivi? Celui à qui j'avais payé mon achat avait sans doute noté le titre du volume vendu pour le commander à nouveau. Ce titre et surtout son auteur avaient alors attiré l'attention du responsable religieux de la coopérative qui s'était empressé d'alerter ses supérieurs, se scandalisant que le sous-sol du collège serve de foyer de pestilence d'où se propageaient des écrits pourtant à l'index. Cette loi vieille d'un siècle était encore rigoureusement appliquée dans notre collège, hypocritement sinon ouvertement. Toujours est-il qu'au milieu d'un cours, l'après-midi, le préfet des études fit irruption dans notre classe et me confisqua l'ouvrage pernicieux en me remettant sur-le-champ le montant de mon achat. Y eut-il autodafé ce soir-là dans la résidence des Pères? Je l'ignore. Ce que je sais, c'est que je n'ai jamais lu *le Siècle de Louis XIV* de Voltaire.

Un événement imprévu allait briser cette dure loi, du moins pour quelques-uns d'entre nous. Une émission de télévision opposait chaque semaine deux équipes, composées chacune de quatre représentants, provenant de deux collèges classiques différents. L'équipe gagnante méritait le droit de revenir la semaine suivante affronter un nouvel adversaire. Notre collège reçut un jour une invitation. Une équipe fut constituée. J'en fis partie la première année comme simple équipier, la seconde à titre de capitaine. Les deux années nous remportèrent les grands honneurs, auréolant de gloire le collège dont nous défendions les couleurs. On eut alors pour nous des égards dus aux vedettes du petit écran que nous étions devenues en quelques semaines. L'émission était coanimée par un bellâtre qui connaîtra plus tard son heure de gloire dans le rôle de faire-valoir de l'animatrice d'un *talk show* si populaire qu'elle s'en servira comme tremplin politique, et par l'épouse d'un ministre fédéral qui succédera plus tard à son mari dans ses fonctions, comme preuve que le ridicule ne tue pas. Les questions qu'on nous adressait touchaient tous les domaines et nous devions y répondre plus rapidement que l'équipe adverse en pressant un bouton. Chaque équipe formait une espèce de Pic de La Mirandole à quatre têtes, chaque équipier responsable de certains secteurs de la connaissance. Je procurai un jour la victoire à mon équipe pour avoir répondu correctement que la ville la plus méridionale du monde était Punta Arenas dans le sud du Chili, réponse qui consterna les animateurs qui n'avaient jamais entendu parler de cette ville et arrivaient difficilement à prononcer son nom écrit sur leur carton. Quelques jours plus tôt, en avalant un atlas en guise de préparation à l'émission, ce nom sonore m'avait frappé et je m'en étais souvenu au bon moment. Conscientes de la publicité favorable qu'entraînerait une victoire de notre équipe, les autorités collégiales s'étaient résignées à nous livrer accès au Saint des Saints. Nous désignions ainsi entre nous une pièce verrouillée dans un angle de la bibliothèque collégiale où nous savions se trouver des volumes inscrits au fichier mais absents des rayons. Nous y découvrîmes de luxueux ouvrages d'art, des collections prestigieuses, celle de la Pléiade, la collection Guillaume Budé regroupant tous les classiques grecs et latins, texte original et traduction en face à face, bref un savoir cadenassé que l'on nous permettait d'approcher pour l'unique raison d'État qu'il fallait offrir au monde l'image d'un collège évolué, en réalité rétrograde. Les régimes totalitaires fonctionnent-ils autrement?

L'index interdisant la communication libre et normale de la connaissance, le droit à la dissidence demeurait évidemment lettre morte. Forcés de prendre le maquis, nous faisions le difficile apprentissage de la résistance et menions une guérilla que nous savions ne jamais pouvoir dégénérer en guerre ouverte. Tout en nous conformant pour l'essentiel au point de vue officiel, il nous fallait d'autre part faire échec au lavage de cerveau dont nous étions l'objet par des actions destinées avant tout à tenir éveillée notre conscience naissante. La culture de l'esprit séditieux devait tirer parti des moindres circonstances. Un cours de gymnastique avait lieu un matin de la semaine, à huit heures trente. Le professeur, un jeune homme enthousiaste et au demeurant très compétent, exigeait cependant de nous des prouesses qui pouvaient être source d'accidents à cette heure matinale. Il nous demandait par exemple de grimper à tour de rôle à un câble fixé au plafond du gymnase. Plusieurs eurent du mal à s'exécuter, par manque d'entraînement, à cause du vertige, de la peur, ou tout simplement parce que n'ayant pas déjeuné ils ne pouvaient se livrer à cette dépense d'énergie, l'estomac à vide. Quelques-uns, manquant de force à la descente, se laissèrent glisser le long du câble qui leur sciait les mains. L'un chuta d'une hauteur d'une douzaine de pieds. Le professeur demeurait intraitable, n'acceptant comme dispense qu'un billet de médecin. La fois suivante plusieurs arrivèrent avec lesdits billets, parfois signés par leur toubib de père. D'autres ne se présentèrent tout simplement pas au cours. Je choisis quant à moi l'affrontement direct. Je me rendis au cours comme d'habitude mais, le moment venu de faire le singe dans le câble, je refusai net. Le professeur me demanda des explications. Je lui dis ne pas vouloir monter jugeant l'exercice trop dangereux compte tenu de notre préparation. Il me demanda si je refusais de lui obéir. Je le félicitai d'avoir parfaitement compris le sens de ma réponse. Nous nous rendîmes illico chez le préfet de discipline qui, instruit de mon insubordination, me renvoya chez moi. Je réintégrai le collège deux jours plus tard. La semaine suivante, le câble avait disparu, les autorités ayant sans doute conseillé au professeur de gymnastique de varier un peu les exercices, trop heureuses de donner ainsi raison à une revendication étudiante qui ne les affectait pas personnellement.

Deux professeurs se détachaient heureusement de la médiocrité ambiante. Nous les aimions autant que nous détestions cordialement les raseurs titrés. Tous deux laïcs et européens, ils se ressemblaient tout autant qu'ils s'opposaient. Le premier était un solide gaillard, bâti comme une armoire avec, contraste amusant, une figure ronde, enfantine, rieuse, la peau rose, les yeux bleus. Il parlait fort en roulant les r et en postillonnant, sa figure mimant au fur et à mesure ce qu'il disait. Il était responsable pour les classes supérieures de l'enseignement du latin et du grec et, cours sans équivalent dans aucun autre collège, de la civilisation orientale. Son magnétisme de comédien né nous captivait. Il ne correspondait nullement à l'image reçue du professeur de grec et de latin, au rat de bibliothèque le teint jauni par des veilles studieuses. Il consacrait ses soirées à des activités plus prosaïques. Il avait roulé sa bosse, découvrant la civilisation gréco-romaine davantage sur le terrain que dans les livres, visitant les temples et les lieux évoqués dans les textes anciens que nous traduisions en classe. La rumeur ajoutait qu'il avait fait la guerre du Pacifique au côté des Américains à qui il avait servi d'interprète grâce à sa connaissance du japonais et de la mentalité des peuples orientaux. La vie jaillissait de toute sa personne avec autant de spontanéité qu'elle était tarie chez les sépulcres blanchis que nous avions par ailleurs comme professeurs. Deux faiblesses éminemment masculines nous le rendaient encore davantage sympathique: les femmes et l'alcool. Lorsque c'était pour lui jour de sortie, il arrivait au cours rasé de frais, parfumé, vêtu d'un complet de bonne coupe, le mouchoir blanc exubérant dans la poche de sa veste. Tout autre était cependant sa mine les lendemains de veille, ce qui arrivait régulièrement les samedis matin où il avait cours de latin. Toujours selon la rumeur, il faisait office de videur les vendredis soir dans un club du boulevard Saint-Laurent. Ce travail le menait fort avant dans la nuit et rien n'indiquait que l'heure de fermeture marquait la fin de ses activités nocturnes. Les samedis matin, il n'était donc pas de la première fraîcheur pour nous initier aux subtilités des textes de Tacite, de Tite-Live, de Lucrèce ou d'Horace. Néanmoins, et c'est déjà un exploit, il était toujours au poste. En entrant en classe, il se précipitait sur les fenêtres et les ouvraient toutes grandes, sans égard à la température extérieure, fût-elle de − 20° en décembre ou janvier. Il pompait l'air froid à fortes aspirations bruyantes, dessoûlant lentement. Interrompant ses déplacements dans les allées, il revenait fréquemment aux fenêtres ouvertes, comme à une bouée de secours, pendant que le froid congelait les malheureux dont les pupitres les voisinaient et qui n'avaient pas dans les veines un pareil taux d'alcool agissant comme antigel. Il avait, heureusement pour nous, le vin gai. Une fois que l'air glacial commençait à le dégriser, il s'adonnait à d'invraisemblables pitreries, s'amusant comme un enfant à nos dépens, mais sans malice. À chaque cours nous devions préparer un passage de l'auteur alors à l'étude sur lequel nous étions interrogés, le professeur choisissant au hasard trois ou quatre élèves qu'il notait selon leur performance. D'ordinaire il interrogeait ses victimes de son pupitre à l'avant de la classe, pointant du doigt les élus du jour, les houspillant en cas d'échec comme un procureur au tribunal demandant une tête. Les samedis le scénario variait, le soûlard ne pouvant refréner son furieux besoin de bouger dans le double espoir de nous donner le change et de retrouver ses esprits. Il déambulait alors dans les rangées en interrogeant les suppliciés, les mains derrière le dos ou se grattant ostensiblement la tête, se nettoyant les oreilles, se caressant les joues et le menton où pointait une barbe maintenant forte. Un samedi, il aperçut dans un coin une longue perche servant à ouvrir ou fermer les fenêtres supérieures. Il l'empoigna aussitôt, se la mit sous l'aisselle comme un chevalier courant à l'attaque et fonça sur l'un d'entre nous, s'arrêtant à quelques pouces de son nez: « Préparation, monsieur Barbeau, qu'est-ce qu'elle dit votre préparation ce matin, monsieur Barbeau? » Plus mort que vif, le Barbeau s'exécuta du mieux qu'il pouvait, traduisant en cafouillant le texte latin pendant que son aimable mais imprévisible bourreau trottait autour de lui, la lance traçant dans l'air de dangereux moulinets. Un autre samedi il nous donna une version latine à rédiger durant le cours. Pendant que nous nous dépêtrions dans du Cicéron, il arpentait les rangées, lisant nos copies par-dessus nos épaules, passant tout haut ses réflexions, marmonnant entre ses dents, rotant sans aucune retenue. Il avise soudain les cordons d'un store qui pendaient le long de la fenêtre. Il s'en saisit et à l'aide d'un nœud coulant s'en fabrique un lasso puis, faisant signe à ceux qui avaient remarqué son manège de ne pas vendre la mèche, il capture d'un lancer précis un élève courbé sur son devoir, la surprise du captif n'ayant d'égale que la joie souriante du cowboy improvisé. En période d'examens, il se produisait dans un théâtre à sa mesure. Il habitait à quelques rues du collège et, par beau temps, il corrigeait les copies au grand air, confortablement installé sur son balcon, la pile d'examens d'un côté, une caisse de bières de l'autre. La pile diminuait à mesure que s'alignaient les bouteilles vides qu'il calait sans cérémonie, à même le goulot. Le houblon aidant, les notes fermentaient, s'élevant à des sommets inégalés chez les autres professeurs d'une sobriété excessive.

Celui de littérature et de philosophie contemporaines était taillé sur un tout autre gabarit que son collègue et compatriote. C'était un petit homme, mince, les cheveux bouclés, la peau du visage couperosée, l'œil vif et moqueur, la voix douce. La direction du collège avait dû faire appel à ses services pour prendre charge de ces deux matières obligatoires en dernière année dont aucun religieux ne pouvait assumer l'enseignement. Il devait néanmoins constamment marcher sur des œufs, la matière de ces deux cours portant sur des auteurs souvent anticléricaux déclarés sinon franchement athées. Grâce à lui, nous découvrirons *in extremis* la littérature de notre siècle et certains philosophes qui avaient tout oublié de Thomas d'Aquin, s'ils l'avaient jamais lu. Esprit curieux de littérature, de philosophie, d'art, de musique, il nous parlait avec le même enthousiasme de Dostoïevski, Proust, Gide, Malraux, Sartre, Camus, Breton, Milosz, de Heidegger, Berdiaev et Kierkegaard, de Mozart et Vermeer, autant de noms pour nous jusque-là inconnus. Il nous informait des parutions récentes, les romans de Robbe-Grillet, de Butor ou de Sabatier par exemple, et dont, comme tous les textes auxquels il faisait allusion, il nous communiquait le furieux goût de les lire. Il écrivait lui-même pour le théâtre qu'il affectionnait au point de mettre sur pied une petite troupe. Il obtint avec difficulté la permission d'utiliser la scène de l'auditorium du collège, les Pères inquiets de la présence dans leurs murs d'une vie théâtrale centrée sur la production contemporaine. Ils déléguèrent l'un des leurs assister aux répétitions et faire rapport des mœurs des comédiens comme de la moralité du texte. Pour le premier spectacle, le directeur de la troupe se mit à couvert sous du Claudel. Puis ce fut du Labiche, du Shakespeare, du Anouilh. Le public était clairsemé, certains soirs la salle complètement vide. La représentation avait lieu malgré tout, pour le plaisir, les comédiens entre leurs scènes descendant dans la salle juger du jeu de leurs camarades, des costumes, des décors, des éclairages. Vincent s'était porté volontaire pour la fabrication des décors, saisissant là l'occasion de faire quelque chose de « constructif » en regard des discussions oiseuses à l'affiche dans les cours de philosophie thomiste. Il passait ses samedis et ses dimanches à scier, clouer, peinturer. Même en période d'examens, et peut-être à plus forte raison en période d'examens, il travaillait sans relâche pour que tout soit prêt pour le soir de la première. Le lundi matin, ses yeux rougis par la fatigue témoignaient que pour lui le marteau et les clous l'emportaient sur toute la philosophie du monde.

Grâce à ce théâtre où les acteurs néophytes se jouaient la comédie en tenant le rôle des spectateurs, plusieurs d'entre nous feront pourtant leurs premières armes dans une pièce pour laquelle, malgré l'ancienneté du canevas, n'existent pas de répliques à mémoriser mais où chacun improvise dans un trac fou selon l'inspiration du moment. Le directeur de la troupe demanda un jour à des étudiantes d'un collège des environs de se joindre à nous en qualité de comédiennes. Leur arrivée provoqua une révolution aussi grande que si un Noir entrait aujourd'hui dans un bar blanc de Johannesburg et commandait négligemment un double scotch au barman ahuri.

Depuis l'âge de raison, ainsi appelé parce que de ce jour nous avions cessé de faire les raisonneurs, nous vivions dans un univers ségrégationiste hermétiquement mâle. À l'école primaire, et encore davantage au collège, les sexes étaient tenus à l'écart l'un de l'autre sans du reste qu'aucune explication ne soit fournie à ce cloisonnement étanche. Si d'aventure les cours des écoles de filles jouxtaient celles des garçons, de hautes clôtures rappelant les barbelés des camps de concentration les séparaient. De femme, on ne nous avait entretenus que de la Mère de Dieu, tellement vierge qu'elle avait enfanté sans le concours d'un saint Joseph tombé en quenouille à la suite d'une opération nébuleuse sur laquelle la lumière n'avait jamais été faite et que l'on désignait depuis comme celle du Saint-Esprit. Seuls échappaient à cette loi martiale ceux de nos camarades dotés de sœurs de leur âge amenant du gibier à la maison. Les autres étaient réduits à courir les réunions de famille et à affronter pour la première fois les feux de la rampe dans la compagnie d'une cousine étonnamment précoce pour son âge, ou encore à battre la campagne et, comme des forains, à se produire sur la scène d'une des salles de danse à la mode, le CEOC rue Saint-Denis, la *Palestre nationale* rue Cherrier, ou encore le *Golden* rue Masson, la plus populaire, dont l'orchestre, en fin de soirée, étirait des slows sirupeux de dix minutes pour le délice de couples plongés dans un voluptueux surplace. De ces excursions hygiéniques, il n'était jamais question au collège, sauf en catimini, à l'instar des gens de robe qui, la toge et le mortier soigneusement rangés dans l'armoire, quittent le prétoire où ils viennent d'obtenir une condamnation pour proxénétisme et, avant de rentrer benoîtement à la maison, s'arrêtent au bordel voisin dont ils sont membres honoraires pour monter la petite nouvelle dans son galop d'essai. Même si nous n'étions censés

débattre que du sexe des anges, un autre sexe commençait de nous intéresser tant il est vrai que les
réalités physiologiques ne sont pas des mirages
s'évanouissant par enchantement du fait d'être
niées. Nos discussions roulaient de plus en plus souvent sur les femmes, nous abordions des sujets
tabous encore récemment, comme si le temps nous
était compté et qu'il nous fallait mettre à profit ces
derniers instants de vie collégiale pour franchir
ensemble l'ultime étape de notre longue initiation.
Nous tâtions ouvertement des yeux toute femelle à
notre portée, fût-ce l'aide-bibliothécaire nouvellement embauchée que nous rêvions plutôt de débau-
cher. Feuilleter la revue *Playboy* en classe à l'insu
du professeur mais au vu des camarades devint la
marque de commerce des esprits affranchis ou désirant être considérés comme tels. C'est dans ce con-
texte survolté que les brebis furent introduites dans
le repaire du loup. Comédiennes, ces jeunes femmes
l'étaient, dissimulant sous leurs airs de biches apeu-
rées des instincts de carnassières-nées. Les répétitions débutèrent dans une gêne palpable, les faux
libertins interdits devant l'audace de leur proie
et se demandant si de chasseurs ils n'étaient pas
devenus chassés. Les adversaires s'étudièrent un
long moment. Puis ce fut la curée. Les deux groupes
se fractionnèrent en couples aux airs complices.
Tous finirent par passer une épreuve autrement
agréable que celle du baccalauréat, cette générale
avant l'entrée dans le monde. C'est donc avec des
facultés singulièrement perturbées et l'œil allumé
que nous fûmes reçus bacheliers obtenant en cette
occasion le droit inaliénable de faire suivre notre
nom des lettres B.A. comme preuve que nous étions
désormais Bien Appareillés.

La coutume collégiale voulait que chaque finis-
sant annonce publiquement sa décision lors d'un

grand banquet. Il s'y déclara quelques cas de prêtrise, une dizaine de cas d'hôpital, médecins, dentistes, un nombre équivalent de cas de justice, avocats, notaires, une vingtaine d'irrécupérables s'orientèrent vers les sciences humaines et sociales, quelques hurluberlus optèrent pour les sciences pures ou appliquées, les autres enfin, dont Vincent, déclarèrent forfait. Sa décision de ne pas poursuivre ses études à l'université ne surprit personne, mais le métier qu'il pratiqua au sortir du collège en laissa plusieurs songeurs: il devint laitier, le premier laitier bachelier. Il fut ensuite couvreur, apiculteur, puis garagiste. Je ne le revis qu'une fois. Il avait alors les mains et le visage tachés de cambouis.

Le banquet terminé, je pris une dernière fois le trolleybus Beaubien pour rentrer à la maison. À de Lanaudière le bus stoppa. Le feu était rouge. Machinalement mon regard se porta sur le balcon du deuxième. C'était un grand balcon, plus grand que je ne l'avais imaginé. Monsieur Groleau se berçait doucement en fumant un cigare dont la fumée bleutée s'élevait en dessinant des anneaux parfaits. Il regardait amusé quelques écoliers faisant cercle pour s'abriter du vent et s'allumer à la flamme claire d'un briquet. D'autres jouaient au mississipi, d'autres encore furetaient partout et se ruaient soudain sur de petits bouts de papier. Devant, des enfants lançaient leurs billes tandis que d'autres, assis à de longues tables, équeutaient des fraises. Quatre enfants de chœur, pourtant vêtus de noir, s'enfuyaient en riant aux éclats. Dans un coin un religieux à la carrure d'athlète arrosait une patinoire sur laquelle caracolait un cowboy éméché, une lance sous le bras et un lasso à la ceinture. Des autos passaient en trombe devant des écoliers le pouce levé, un vieux tramway tanguait dans une odeur de frites et de créosote, un cheval mythique s'avançait dans un nuage de poussière. Un petit homme, les cheveux bouclés, allait fébrilement d'un groupe à l'autre corrigeant un geste, déplaçant un personnage. Il parut finalement satisfait. Il se pencha alors vers un enfant qui jusque-là immobile lisait. L'enfant s'avança au centre de la scène et, cramponné à la balustrade, me dévisagea de son regard noir. Je lui souris enfin et de la fenêtre ouverte je lui envoyai la main. Il me salua à son tour. Le feu tomba au vert.

Achevé d'imprimer à Montmagny
par les travailleurs des ateliers Marquis Ltée
en septembre 1981